一杯の紅茶の世界史

磯淵 猛

文春新書

456

『一杯の紅茶の世界史』 目次

〈第一章 イギリス人、茶を知る〉

・アフタヌーン・ティーの元祖 9
・ヨーロッパ人が憧れた茶 11
・茶貿易の先陣をきった国——ポルトガルとオランダ 14
・イギリスで初めて茶が飲まれる 17
・イギリスVS.オランダ 19
・ボーヒーという茶 23

〈第二章 紅茶誕生の謎〉

・中国茶の種類 24
・発酵茶の始まり 26
・紅茶が生まれた村 28
・世界で初の紅茶の香り 32

〈第三章　イギリス人、紅茶を買う〉
・イギリスで好まれた茶　34
・十八世紀のティーマナー　36
・買い付けの港　38
・ラプサンスーチョンの秘密　40
・三つの虚偽　42
・もう一つの伝説　44
・祁門紅茶　45
〈第四章　茶の起源〉
・茶の二元説　47
・一元説　49
・樹齢一七〇〇年の茶――カメリア・タリエンシス　50
・茶樹王――カメリア・シネンシス　56
・ハニ族のお茶　58
・ジノ族の食べるお茶　60
・ジノ族の竹筒茶と茶のルーツ　64

・少数民族の日曜市場 68
・ミャンマーに伝わった茶 71
・ミャンマー人のアッサム侵略 73
・イギリス人のミャンマー支配とミャンマーの紅茶 75

〈第五章 茶馬古道〉

・普洱の街 79
・茶馬古道の村 81
・チベットの黒茶 83
・黒茶の秘密 86

〈第六章 イギリス人、紅茶を飲み続ける〉

・茶の有害論 89
・十八世紀のイギリス紅茶とトワイニング 92
・十八世紀の茶戦争――ボストンティーパーティー 97
・十九世紀の茶戦争――アヘン戦争 101
・十九世紀の英国紅茶文化――ティークリッパー 103

・アールグレイ紅茶を作らせたグレイ伯爵　107

〈第七章　イギリス人、紅茶を作る〉
・アッサム茶を知る　113
・中国種への執着　117
・アッサムカンパニー　119
・ブルース夫妻の墓　125
・アッサム紅茶の製法と普及の秘密　128
・デジプールのチャイ屋　134

〈第八章　セイロン紅茶の立志伝〉
・セイロンに茶が植えられるまで　139
・セイロン初の紅茶園―ジェームス・テーラーの仕事　141
・セイロンティーの完成　143
・セイロン紅茶の父　145
・リプトンの登場　148
・リプトンの紅茶　152

・リプトンとセイロン紅茶　154
・スリランカのミルクティー　157

〈第九章　アメリカの発明品〉
・ティーバッグ登場　161
・万博で生まれたアイスティー　163
・レモンティー　166
・アメリカのアイスティー　170

〈第十章　紅茶輸出国と、紅茶消費国〉
・アフリカ諸国の紅茶　172
（ケニア共和国／マラウィ共和国／ウガンダ共和国／タンザニア連合共和国）
・アイルランドの紅茶　177

〈第十一章　イギリス人と紅茶の行方〉
・完璧な紅茶のいれ方
——オーウェルと英国王立化学協会　180
・英国王立化学協会の一〇カ条　186
・現代イギリスの紅茶事情　192
参考文献　196
〈紅茶年表〉　199

〈第一章　イギリス人、茶を知る〉

★アフタヌーン・ティーの元祖

ロンドンから北に約一〇〇キロメートルのベッドフォードシャーに、四〇〇年にわたってひきつがれてきた、ウォーバンアビーとよばれるベッドフォード公爵邸がある。

「ここからが公爵邸の敷地です」

といわれてからが遠かった。聞けば敷地は三〇〇〇エーカー（約一二一四ヘクタール）もあるという。広大な緑の原野に、タンポポの綿のように点在する羊、こげ茶色の乳牛の群れ、パッと飛び跳ねていく鹿。私がここを訪れたのは二〇〇〇年の五月だった。

一四代目になるロビン・タビストック公爵がこの館の主であるが、ウォーバンアビーで有名なのは、七代目のフランシス・ベッドフォード公爵夫人のアンナ・マリア（一七八八〜一八六一）である。彼女こそイギリスの「アフタヌーン・ティー」（午後の紅茶）の習慣をはじめた人なのだ。

その頃の貴族社会の食生活は、イングリッシュ・ブレックファストと呼ばれる盛りだくさんの朝食をとり、昼食はピクニックなどで少量のパンや干肉、フルーツなどで軽くすませる、というものだった。そして社交を兼ねた晩餐は音楽会や観劇の後だったが、十九世紀に入ってから次第に遅くなり、夜の八時頃とされていたので、昼食から夕食までの空腹はかなり苦痛なものになっていた。

そこで夫人は空腹によってお腹がなるのを防ぐため、午後の三時頃から五時頃の間に、サンドイッチや焼き菓子を食べ、同時にお茶を飲むことを始めた。夫人は彼女を訪ねてきた婦人たちを屋敷内のブルー・ドローイング・ルームと呼ばれる応接間に通し、お茶とティーフードでもてなしたので、それが貴婦人たちの社会で習慣となり、女性の午後の社交場として広まり定着していった。

ブルー・ドローイング・ルームは観光用に一般公開されているので、今でも見ることができる。緑がかった淡いブルー地に金色の花模様の壁、金のモザイクが施された天井、数百のカットガラスが輝くシャンデリア。純白の暖炉の前には、壁と同色で張られた豪華な椅子とソファー。そしてティーテーブルと呼ばれる小さめな丸テーブル上には、一六〇〇年前と変わらぬ中国製の磁器のティーカップやポットがセットされている。

アンナ・マリアの末裔である一四代目公爵が、彼女と紅茶文化をどう思っているのか、話を聞くことができた。タビストック公爵はメガネをかけていて、身長一八〇センチほど。見たところ顔色もよくにこやかだが、病身とのことで、左手に点滴のあとと思われるバンソウコウが張られている。

「十九世紀の半ばは、中国志向が高く、当家でも中国の茶壺や茶碗などたくさんのチャイナを収集していました。中でもアンナ・マリアが中国の紅茶に強い関心を持っていたということは、きっと流行の先端にいたのだと思います」

にこやかに答えてくれた公爵だが、この二年後に亡くなられた。現在はアンドリュー公爵が一五代目を継いでいる。

19世紀イギリス上流階級のアフタヌーンティー。（"THE WORLD WENT VERY WELL THEN." By WALTER BESANTの挿絵。A. FORESTIER画）

★ヨーロッパ人が憧れた茶

紅茶といえばイギリス。現代では誰もがそう連想しそうだが、ヨーロッパで初めて茶について知ったのはイタリアやポルトガルの人々であった。

東洋の茶を最初に口にしたヨーロッパ人は、茶の風味を一体どのように感じただろうか。その味や香りはヨーロッパにあるどのハーブとも違い、未知の国から運ばれてきた不思議なものとして、人々を魅了したに違いない。

『東方見聞録』を残したベネチア人のマルコ・ポーロは、一二七四年に中国に入り、一七年間にわたって在留した。その間まちがいなく中国の茶に触れ、飲用したはずであるが、不思議なことに『東方見聞録』の中に茶の記録は見当たらない。

ヨーロッパに茶のことが伝えられたのは十六世紀に入ってからで、ポルトガル人が一五一六年に中国を訪れ、次いで一五四三年に日本に到着し、茶の文化に接している。ポルトガルの宣教師ガスペル・ダ・クルスの記録には、

「高貴の家では、一人または数人の客が訪れると、チャ（ch'a）という一種の飲みものを供する。そのものはややにがい、赤いクスリで、ある種の薬用植物の混ぜものでつくられている」

とある（『紅茶の文化史』春山行夫）。

ベネチア人の作家ラムージオは『東方見聞録』を編纂し、また自ら集めた航海の体験談や中国の情報などを『航海記集成』という本にまとめ、一五五九年に出版した。その中にはペルシャ人のハジ・マホメドという商人から聞きだした中国の茶の話が記されている。

「中国全土で、チャイ・カタイ（chai catai, 中国の茶という意味）の木またはそれの葉を利用している。この木は中国の四川と呼ぶ地方に生長していて、国中で飲用され、高く尊重されている。彼らはその薬用植物を集め、生のままあるいは乾燥して、それを水でよく煮る。この煮出し汁を一、二杯空き腹に飲むと、熱病、頭痛、胃の痛み、横腹または関節の痛みをなおす。この飲むときには、自分で辛抱のできるかぎりの熱さでなければならない。それはさらに、ほかの覚えきれないほどの多くの病気にも効く。たとえば痛風もその一つである」（『紅茶の文化史』）

一方、中国だけでなく日本の茶についても報告が送られていた。一五六三年にイエズス会の宣教師として日本で布教をしていたポルトガル人のルイス・フロイスは、日本人の茶の文化と風習を見て、『日欧文化比較』（『大航海時代叢書・第十一』岩波書店　岡田章雄訳）の中で次のように書いている。

「われわれは宝石や金、銀の片を宝物とする。日本人は古い釜や、ヒビ割れした陶器、土製の器等を宝物とする」

そして一五八八年に、フィレンツェのジョヴァンニ・ピエトロ・マッフェイが、インドで布教していた宣教師たちから聞き集めた『インドの話』を出版した。この本には中国の食用植物のことが記されていて、その中に茶のことが紹介されている。

「中国では大部分の地方で、チア（chia）という薬用植物を浸した熱い飲みものを飲んでいる」(『紅茶の文化史』)

十六世紀の後半になってやっと茶に出会ったヨーロッパ人は、まだほんのわずかの限られた人たちであった。しかし、その頃日本ではすでに千利休が茶道を開き、茶事が盛んだった。ルイス・フロイスが茶道に触れたのもこの頃である。茶は単なる飲みものではなく、心や礼儀、そして民族の文化を育んでいた。彼は少なからずこの高貴なセレモニーにコンプレックスを抱き、茶の文化に敬意を表した。そして彼らが伝えた茶の情報は、そのまま東洋の文化の象徴として広まっていった。

情報は伝わるにつれて何十倍にも誇張され、想像を掻き立てられたヨーロッパ人たちは、この崇高な茶と新たな富を求め、以後続々と東洋に進出していくことになる。

★茶貿易の先陣をきった国――ポルトガルとオランダ

ヨーロッパの人たちが茶について関心を深めるようになったのは、十七世紀に入ってからのことである。最初に手をつけたのは、ポルトガル・オランダの商人たちであった。

航海術に優れていた彼らは、アフリカの喜望峰を回り、インドへ到達し、マレー半島、中国、日本にまで進出してきた。彼らは東洋の香辛料や珍しい財宝を求め、交易を続けていたが、一歩先んじていたポルトガルは一五五七年にマカオに交易基地を設け、ヨーロッパ人として最初

〈アジア南部の略図〉

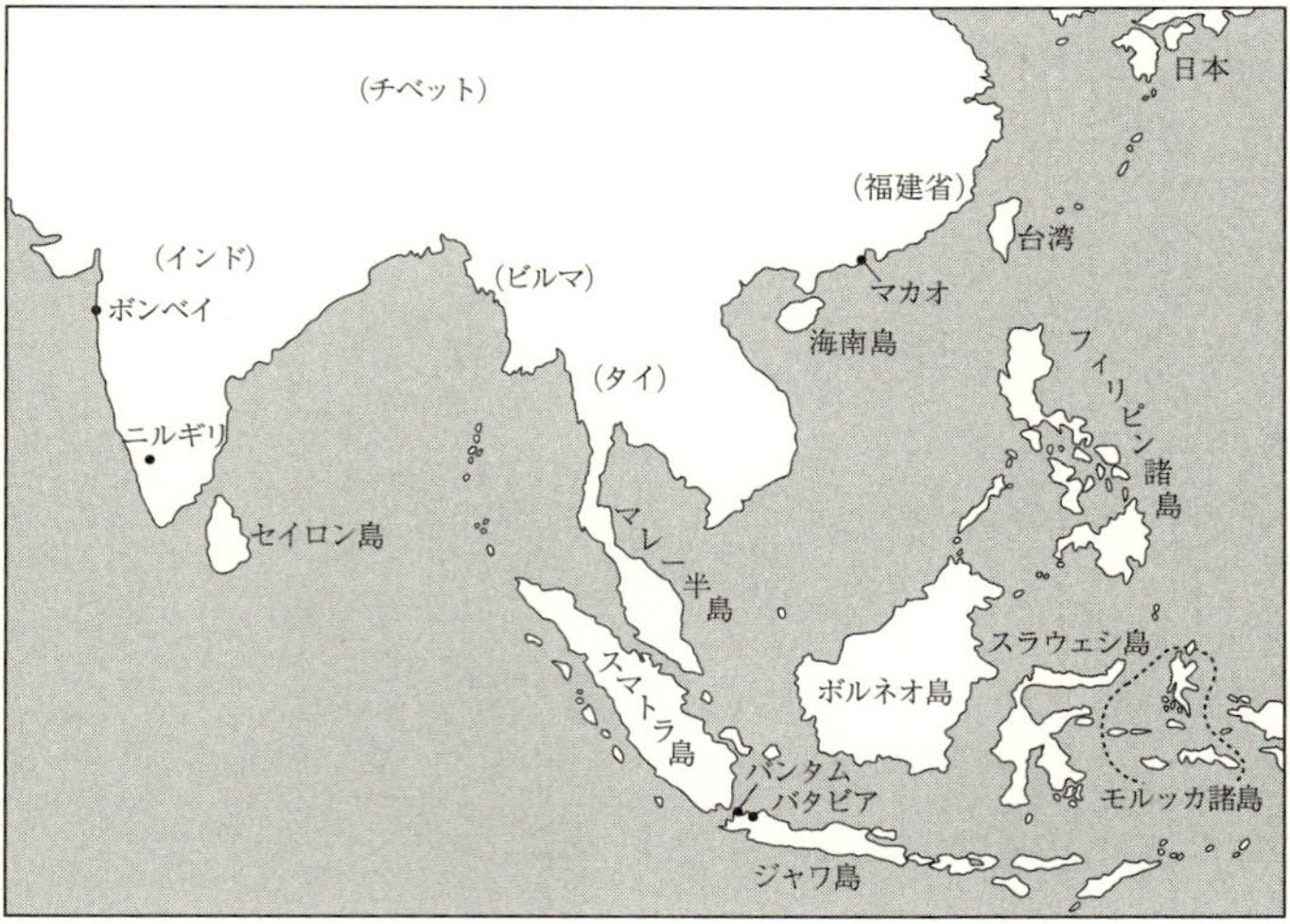

に日本の地を踏んでもいる。

しかし彼らの主な関心は香辛料など他の産物にあったので、茶を買うことまではしていない。実際に茶を買いつけ、普及させたのは後続のオランダ人たちだった。

一六一〇年、オランダ人はマカオと平戸から緑茶を買い、これを自国領だったジャワのバンタムに送り、そこから荷を積み替えてオランダのハーグに運んだ。持ち込まれた茶は、貴族や裕福な階級の人々の間で人気を呼び、特に日本から伝わった抹茶の飲み方や茶道が、珍しいものとして紹介された。

中国の茶器や日本の茶碗も輸入され、茶と一緒に披露された。貴重品として扱われた茶は、銀や高価な磁器の入れ物に保管され、茶を持っていることは権力や富の象徴でもあった。

茶は客が来たときに仰々しくふるまわれた。中国や日本製の、取っ手のない茶碗に注がれ、熱くて持ちにくいので、冷ますために受け皿に少量ずつ移し替え、受け皿から大きな音を立てて飲まれた。これは日本の飲み方を真似たものだ。抹茶の濃茶を飲む時や、渋い煎茶を飲む時に、ずずっと啜って酸素を混じえて飲むとまろやかに甘味を感じることから、取り入れられたのであろう。同時に、オランダではほんの一部の貴族や金持ちしか飲むことができなかったので、周りの人に聞こえるように音をたてて見せびらかすという、滑稽な行為でもあった。

また彼らは、茶の中にジャワから運ばれた貴重な砂糖も入れ、これに高価な輸入香辛料のサフランも添えて、中国や日本にはない飲み方もするようになった。

こうして茶の人気は広まり、一六九〇年にはオランダはジャワに茶園を開き、中国よりも近くから容易に茶を本国に持ち込めるようにした。その結果、庶民にも茶が広まり、ヨーロッパで最初の「茶が広く飲まれる国」となる。

それ以前、一六五〇年代には、オランダはフランスやバルト海の沿岸諸国へも茶を売るようになっていた。その頃から、かつて海洋貿易で一番の力を誇っていたポルトガルが後退し始め、替わってオランダの東インド会社が、東洋諸国との貿易で独占的に利益を上げることになる。

コーヒーハウス「ギャラウェイ」の店のスケッチ

本拠地はジャワのバタビア（今のジャカルタ）であった。

★イギリスで初めて茶が飲まれる

オランダに遅れること約半世紀、一六五七年、ロンドンのエクスチェンジ・アレーにあったコーヒーハウス「ギャラウェイ」で、初めて茶が売り出された。これはオランダから持ち込まれたものである。売り出しにあたって宣伝された時のポスターは、今でも大英博物館に保存されている。その冒頭ではまず「古い歴史や文化を誇る国々は東洋の茶を、その重量の二倍の銀で売り買いしている」と高価さをうたい、さらに茶の効用について、頭痛、結石、水腫、壊血病、記憶喪失、腹痛、下痢、恐ろしい夢などの症状に効き目があり、

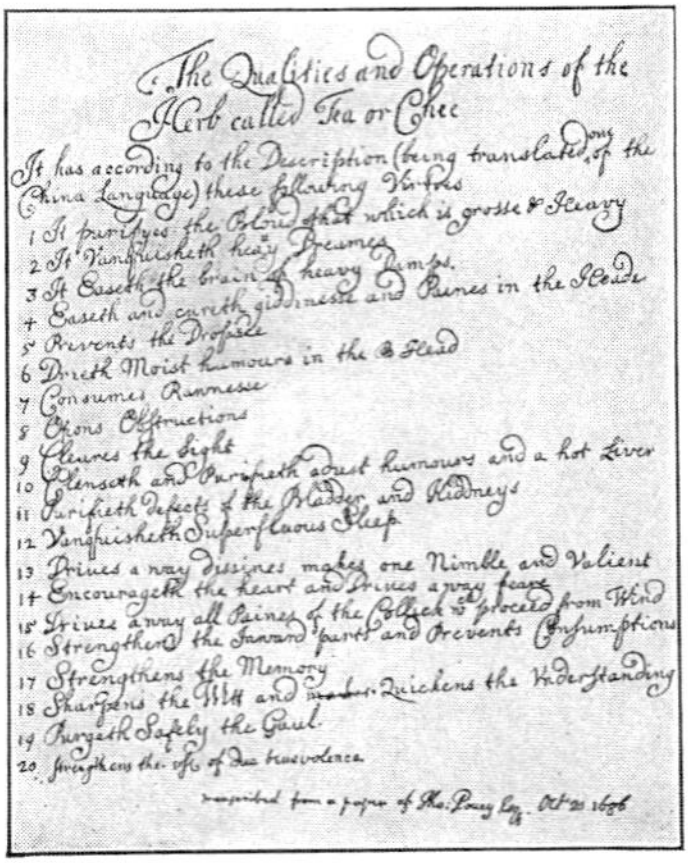
The Qualities and Operations of the Herb called Tea or Chee
It has according to the Description (being translated out of the China Language) these following Virtues
1 It purifyes the Bloud of that which is grosse & Heavy
2 It Vanquisheth heavy Dreames
3 It Easeth the brain of heavy Dumps.
4 Easeth and cureth giddinesse and Paines in the Heade
5 Prevents the Dropsie
6 Dryeth Moist humours in the Head
7 Consumes Rawnesse
8 Opens Obstructions
9 Cleares the sight
10 Clenseth and Purifieth adust humours and a hot Liver
11 Purifieth defects of the Bladder and Kidneys
12 Vanquisheth Superfluous Sleep
13 Drives away dissines makes one Nimble and Valiant
14 Encourageth the heart and Drives away feare
15 Drives away all Paines of the Collick wch proceed from Wind
16 Strengthens the Inward parts and Prevents Consumptions
17 Strengthens the Memory
18 Sharpens the Witt and Quickens the Understanding
19 Purgeth Safely the Gaul
20 Strengthens the use of due benevolence
transcribed from a paper of Tho: Povey Esq. Oct 20 1686

1686年のお茶の宣伝ポスター。効能書が20条並べてある

ミルクや水をお茶と一緒に飲めば肺病の予防になり、肥満の人には適度な食欲をもたらし、暴飲暴食の後には胃腸を整える、と、万病に効果を発揮する東洋の神秘薬として紹介されている。

茶はアジア諸国に行ったことのある物知りの商人や旅行者の指導を受けて淹れられた。ロンドンの物見高い貴族、医師、商人、上流階級の紳士たちが、茶葉そのものを見るために、また茶の味をみるために「ギャラウェイ」に押し寄せ、茶は一ポンド（約四五四グラム）が六〜一〇ポンドという、当時の超高値で販売された。

その頃のコーヒーハウスは上流階級や商人の情報クラブのようなもので、外国の珍しい物産の話やそれを輸入する儲け話が一番に入るところであった。一六四〇年頃にコーヒーが中東からイギリスにやってきて爆発的に流行し、それまで伝統的に飲まれていたエールを押しのけて急速に普及したのである。はじめは単なる上流の社交場のようであったが、だんだんと海外貿

易にたずさわる商人や文人、役人などあらゆる階級の人たちが集い、入場料一ペンス、コーヒー代一杯二ペンスを払って、政治や経済、商売のことを論じ合う場となっていった。

十七世紀後半から十八世紀半ばにかけてはコーヒーハウスの最盛期でロンドンには三〇〇〇軒以上のコーヒーハウスが立ち並んでいたといわれる。「ギャラウェイ」はそのはしりとなった店である。

海軍士官で長大な日記を残したことで有名なサミュエル・ピープス（一六三三〜一七〇三）も、一六六〇年九月二十五日にコーヒーハウスで初めて東洋の茶を飲んだと記している。また一六六七年のある日には、帰宅したときに、妻が医師の指示に従って茶を風邪薬として飲んでいるのを見たと記されている。コーヒーハウスが茶の効用を喧伝したことが、一〇年ほどで広く知れわたり、信じられていたことがうかがえる。

★イギリスVS.オランダ

オランダでは一五九〇年代に、東インドとの交易を、それまでのポルトガル経由ではなく直接貿易にしようと各地で貿易会社ができ、一六〇二年にそれらを統合したオランダ東インド会社が作られた。本拠地は前述のようにバタビアである。

一方イギリスでは、一六〇〇年十二月三十一日にエリザベス一世の認定を受けて、イギリス東インド会社が誕生した。本拠地はインドだった。

二国の東インド会社はそれぞれの本拠地を中心にスパイス貿易を行っていたが、産地のモルッカ諸島の領有権をめぐり、一六二三年、オランダがイギリス商人を襲うという「アンボン事件」が起こってしまう。

これ以後イギリスはインド本土を拠点とした交易に専念するが、やがて中国への進出をはかるようになる。一六四四年にはイギリス商人がアモイに商館を開き、中国との本格的な直接貿易に乗り出すことになった。

ロンドンのコーヒーハウスで初めて茶が飲まれたのは、その一三年後の一六五七年。さらにイギリスで茶が大ブームになる起因となったのは、一六六二年、チャールズ二世と、ポルトガル王の娘のキャサリン・ブラガンザの結婚であった。

イギリスでは十七世紀の前半から王と議会が対立し、一六四二年の清教徒革命でチャールズ一世は処刑され、チャールズ二世は国外追放されていた。だがオリバー・クロムウェル率いる共和制も彼の死後に頓挫し、一六六〇年に、チャールズ二世が帰国して王政復古となったのである。

これを機に、イギリスは海外進出のライバルであるオランダに対抗するため、同じくオランダのライバルのポルトガルとの結束を図った。チャールズ二世とキャサリン・ブラガンザの結婚はそのためのものであった。

キャサリンが持参金としてもたらしたのは、彼女自身が飲むための一塊の茶と、七隻の船に満載した砂糖である。ヨーロッパではサトウキビが栽培できないので、砂糖は長い間遠い南国からの高価な品だった。ポルトガルはブラジルでサトウキビを栽培させて砂糖を入手していたが、イギリスには蜂蜜や糖蜜（砂糖を作る過程でできる絞りかす）しかなく、砂糖は銀と同等の貴重品だったので、はじめは持参金に銀を要求していたチャールズ二世も、これを受け入れた。

キャサリン・ブラガンザの肖像

オランダと異なり、ポルトガルでは茶を飲む習慣が流行していたわけではなかったが、見知らぬ国に嫁ぐにあたり、キャサリンは身を守るために万病に効く東洋の神秘薬を持参したのだった。

そしてこの時もう一つ、ポルトガルがイギリスに贈ったのが、インドのボンベイである。これがやがて、イギリス東インド会社の本拠地となり、また中国へのアヘンの輸出地にもなっていく。

キャサリンは茶だけでなく、中国や日本の茶道具や磁器の茶碗を王室に紹介し、茶を飲む風習を宮廷に広めた。宮廷ではトップの王や后の真似をするのが貴族のステイタスである。そして街では市民が王侯貴族のファッションを真似る。こうしてイギリスの茶の文化の流行にますます拍車がかかったのであった。

一六六六年にはマカオにイギリス東インド会社の商館がおかれる。このとき駐留した商人がチャールズ二世とキャサリン王妃に贈ったのは、銀の器に入れた茶とシナモンオイルだった。

一六六九年、一四三ポンド（約六五キログラム）の茶がロンドンに届けられ、その内の二一ポンドがキャサリン王妃に献上された。これは前年イギリス東インド会社がジャワに発注し、オランダから入手したものである。だが六九年、イギリス政府はオランダからの買い付けルートを禁止してしまう。代わりにインドネシアのバンタムで中国船から茶を買ったり、ポルトガルから購入したりしたが、十七世紀末までは本格的な茶の輸入はなく、茶は普及したとはいえ、まだ上流階級の流行として、ごく少数の消費がされていた程度だった。

このように、イギリスでの茶の普及には、東インド貿易でのオランダとの対立が常に壁となってたちはだかっていた。イギリスが中国との直接の貿易に本格的にのりだしてからこの壁はくずれ、オランダとイギリスの茶貿易の勢力は逆転することになるが、それは十七世紀も末になってからのことになる。

★ボーヒーという茶

一六八九年、アモイのイギリス商人が、中国から直接買い付けたという茶がロンドンに届いた。『オールアバウトティー』の著者・ウィリアム・H・ユカースは次のように述べている。

「アモイは福建省の港なので、茶は福建の崇安《チョンアン》県の武夷《ウーイー》山周辺のものであり、それはボーヒーと呼ぶ発酵茶で、それは紅茶である」

ボーヒーとは中国の武夷という地名の英語読みだ。福建省では緑茶のほかに発酵した烏龍茶《ウーロン》も作られていたので、その福建省のアモイで直接に茶を買ったことが、緑茶とはまったく風味の違った発酵茶を、イギリス人が知るきっかけになったことは否めない。

中国では、茶といえば緑茶である。十七世紀に茶を飲みだしたヨーロッパ人も、はじめは緑茶を飲んでいた。それがいつから紅茶になったのか、紅茶はどのように生まれたのか。その謎をとく鍵は、茶の生産地、中国にある。

〈第二章　紅茶誕生の謎〉

★中国茶の種類

ヨーロッパ人が初めに輸入したのは、ほとんどが緑茶であった。角山栄の『茶の世界史』によれば、一七一六年にオランダ東インド会社が中国から買ったのは緑茶が九万ポンド、ボーヒーが一万ポンドだという。当初、茶畑も製茶場も見たことのないヨーロッパ人は、緑茶と紅茶はまったく別の茶樹から摘んだ葉で作られたものと考えていた。しかし実際は、同じ木から摘んだ葉が、製法によって風味の違うお茶に生まれ変わるのだ。

現代の中国では、茶を製法と色によって六種類に分類している。それに茶の香りに花の香りを付着させた花茶を加えると、全部で七種類になる。六種類は、製茶の過程で茶葉が発酵した度合いで分けられており、発酵の弱いものから緑茶、白茶、黄茶、青茶、紅茶、黒茶、となる。紅茶誕生の謎をさぐる前に、まずこの六種類を見ておこう。

①緑茶（リュウチャ）

発酵をまったくさせない無発酵茶で、中国では今日でも全生産量の七〇パーセントをしめ、国民飲料として最も親しまれている。摘んだ茶葉をまず加熱すると、葉の中の酵素が殺され、発酵がとまる。日本の緑茶は、摘み取った茶葉を蒸して発酵をとめるが、中国では生葉を釜で炒って発酵をとめる。その後、葉を揉んで乾燥させて仕上げるのは同じ。有名なものに龍井茶《ロンジン》、碧螺春《ピーローチユン》などがある。ジャスミンティーの材料になるのも緑茶である。

②白茶（パイチャ）

微発酵茶。白い産毛のある若い葉や芽を摘み取って、薄く並べて空気に触れさせると自然発酵する。水分が三〇〜四〇パーセント抜けた後、熱風で乾燥させて仕上げる。茶の色は淡く上品な風味。白毫銀針《バイハオインチエン》や白牡丹《バイムータン》などが有名。

③黄茶（ホアンチャ）

火を通してから少し発酵させる弱後発酵茶。味わいは緑茶に近く、水色は黄色い。生葉を軽く釜炒りして一度発酵をとめ、それを揉んで葉の汁を出す。これを積み上げておくと、葉汁が酸素に触れて発酵する。君山銀針《ジュンシャンインチエン》などが有名。

④青茶（チンチャ）

青茶は種類が多く、発酵度はものによって三〇〜六〇パーセントと大きく幅がある。烏龍茶がその代表。製造直後の葉が青っぽく見えるのでこの名がある。中国の製茶技術の中でも、最も複雑で難しい。生葉を太陽光でしおらせてから大きなかごの中に入れて回転させ、ゆすりながら微妙な程度に傷をつけ、発酵させる。それを釜で炒って発酵を止めるが、その後にまた複雑な手間がたくさんある。

⑤紅茶（ホンチャ）

発酵度が八〇〜一〇〇パーセントの完全発酵茶。摘んだ生葉をしおらせて水分を四〇パーセントほどとばし、その後強く揉むことで葉汁をたくさん出し、発酵を促す。イギリスで最も愛飲され、ブラックティーとして世界中に広まった。祁門《キーマン》紅茶が有名だが、発祥は福建省武夷山の桐木《トンムー》村といわれている。

⑥黒茶（ヘイチャ）

発酵度一〇〇パーセントの後発酵茶。茶葉は黒っぽく、水色は深い赤色。摘んだ生葉をしおらせてから揉んで発酵させ、それを積み上げて長時間置いておくと、茶葉の中の微生物がさらに発酵を促す。加湿したり、麹菌の一種を加えたりすることもある。詳しい製法は現在でも秘密にされている。独特の風味があり、製茶後、数十年保管されたビンテージ品など、古くて希少なのも価値とされる。日本では普洱《プーアール》黒茶が有名。

★発酵茶の始まり

〈中国南部と茶の産地〉

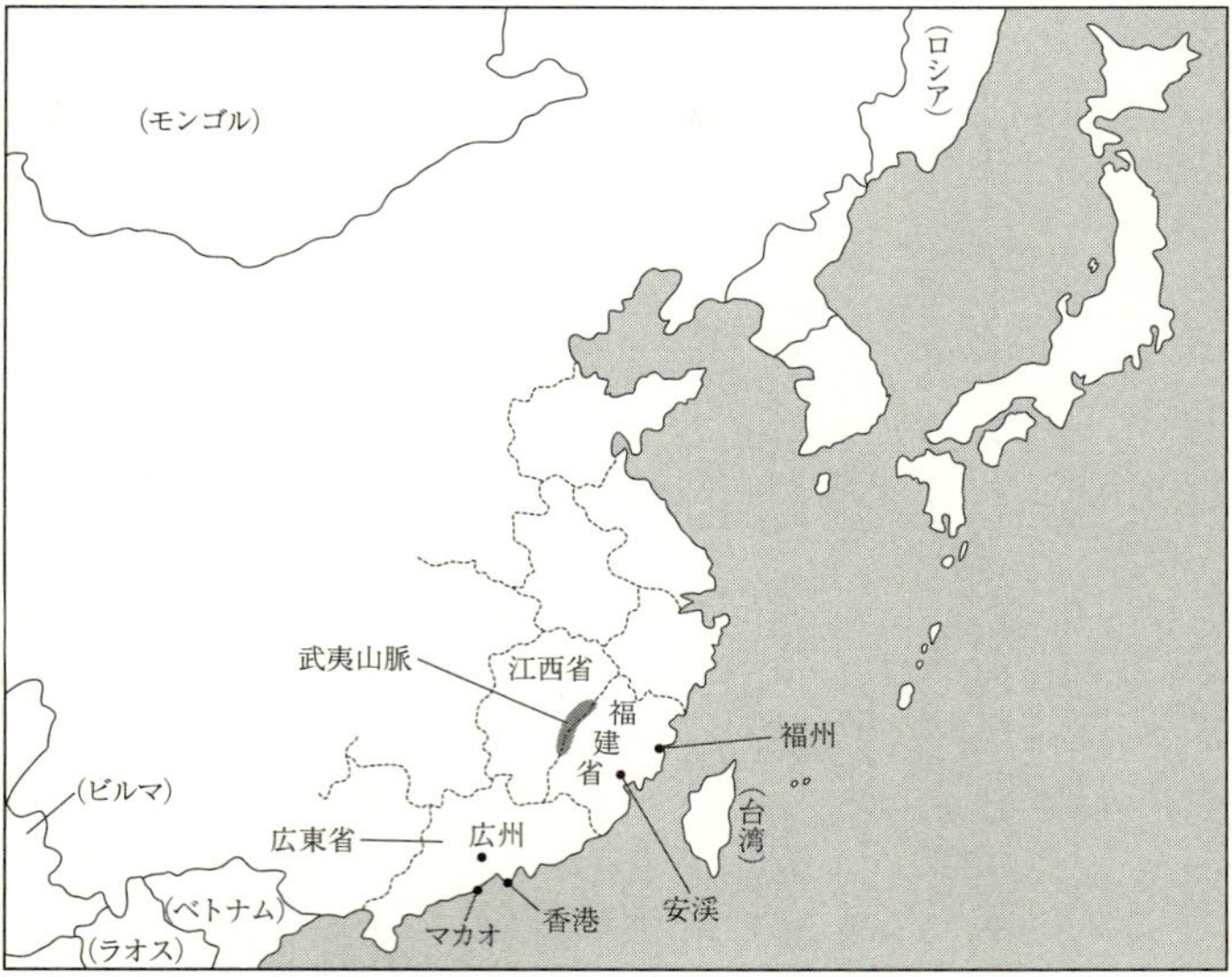

茶の飲み方は、中国でも時代によってかなり変わっている。現在のような葉で緑茶を飲むようになったのは明代（一三六八～一六四四）からといわれるが、発酵茶がいつごろ生まれたのか、はっきりした資料はない。現代中国の茶の研究者・呉覚《ウージユエ》農《ノン》は、十六世紀に書かれた文献をもとに、福建省武夷山の発酵茶は十五世紀には出現していた、と推定している。

発酵茶の中でも代表的な烏龍茶についていえば、平凡社の百科事典には「烏龍茶」の言葉が初めて登場するのは福建省南部安渓県の「安渓《アンシー》県志」（一七二五～三五）とあり、発祥したのはそれ以前と考えても、やはり十七世紀以降のことと想像される。平凡社の『世界大百科事典』（一九五五）には、烏龍茶について「中国で一七〇〇年以後に外人の好みに従って紅茶、磚茶《だんちゃ》とともに輸出用としてつくられだした」と書かれている。

それぞれの説にかなり年代の幅はあるが、共通していえるのは、発酵茶が登場しても中国の主流は緑茶でありつづけたこと、すなわち烏龍茶や紅茶はヨーロッパからの多量の需要によって、十八世紀以降に発展したものである、ということだ。

★紅茶が生まれた村

呉覚農は著書『茶経述評』で、紅茶の発祥地は福建省の武夷山だと述べている。彼が一九四〇年にこの地を訪れ、調査した結果の答えである。

中国南西部、福建省と江西省の境にある武夷山脈の標高一〇〇〇メートル近い山岳地に、桐《トン》木《ムー》村という村がある。呉覚農が、この村で作られた発酵茶こそ、世界で最初にヨーロッパに持ち込まれた紅茶の元祖となるものだ、と認めた村だ。

桐木の製茶史は宋代末期から始まり、ずっと緑茶を作っていたが、十七世紀の前半に発酵茶を作るようになった。その茶を「正山小種《チエンシヤンシヤオチヨン》」という。正山とは武夷山のことを意味し、茶の名前につくと、「間違いなく武夷山で生育した茶葉である」という証となる言葉である。小種とは、量が少ないという意味で、人の手によって栽培されたのではなく、自生している茶葉だということ。つまり正山小種とは、武夷山に自生している茶葉からつくられた茶、ということなのだ。

十八世紀の後半から十九世紀にかけての約半世紀間が、桐木村の茶がイギリスに輸出されて最も繁栄した時期であった。桐木村の製茶史に輝く紅茶工場も、この時期に作られている。

一九九八年と二〇〇二年の二度にわたり、私はこの桐木村を訪ねて、村で茶を作ってきた一族の江元勛《ジアンユアンシユン》氏の話を聞くことができた。

桐木村周辺の景色は、まさに墨絵の世界だった。武夷九曲渓《ウーイージウチユイシー》と呼ばれる曲がりくねった川が、切り立った岩山の間を流れ、波が岩角に激しくぶつかって、灰色の霧となって立ち昇る。骨のようにごつごつ突き出た岩や、刃物のように鋭い岩肌の上を、その霧がゆっくり動いてゆく。背筋がぞくっとするような、恐怖感をともなう、それでいて美しい光景。

その岩肌をよく見ると、ところどころのわずかな亀裂や窪みにしがみつくようにして、木が生えている。モノクロの光景で、そこだけが緑色だ。それらの木々の中に茶の木もある。猿を使って茶葉を摘ませたとか、仙人だけが入手できたといった伝説が語られるのもうなずける。

宋の時代、楊《ヤン》家将の部隊がここを通りかかった時、桐の木があたり一帯に生い茂っているのを見て、ここを桐木関《トンムークワン》と名づけたという。江氏によれば、宋代末期に、戦争に敗れた落人が住み着いたのがこの村のはじまりで、江《ジアン》氏、蕭《シアオ》氏、梁《リヤン》氏、葉《シエ》氏、傅《フ》氏の五つの家族がいたそうだが、現在は江氏と蕭氏だけ。周りはすべて岩山で、耕す田畑がなく、人々は茶の葉以外に生計をたてるものを持たなかった。

江《ジアン》家は、元勛《ユアンシュン》さんの四代前の江春波《チュンボー》と、その子、つまり元勛さんの曾祖父の江冒龍《マオロン》の二代にわたり、最盛期の工場で製茶と茶葉鑑定をしていた。元勛さんの祖父・江潤梅《ルンメイ》は一九四〇年代（中華民国時代）、「当代の茶聖」といわれた呉覚農ほかの研究者と共に、全国で最初の茶葉研究所を設立、それが現在の崇安《チョンアン》茶葉研究所の前身となった。元勛さんは江家の二二代目で、一九八八年に元勛茶廠《チャチャン》（工場）を創立している。つまり代々の茶の家だ。

正山小種は年に二回、五月中旬と六月下旬〜七月に摘まれる。人々は山菜を採りにいくように、袋やかごを頭や肩にかけ、自分だけが知っている茶の木のある場所に行き、小さく開いた芽を摘んでくる。一日で六〜七キログラム、よくて一〇キログラムになる。

元勛さんの茶工場に葉が運ばれると、まず青々した葉を少ししおらせて揉みやすくする。棚のようになった板で上下二層に分かれた場所に葉を広げておくのである。この棚は二階にあり、一階で松の木を燃やし、その煙と熱風で茶葉の水分を四〇〜五〇パーセントもとばしてしまう。これを揉んで自然発酵させ、最後に火入れ乾燥する。このときも松の木を燃やす。

出来上がった正山小種の茶葉の外見は厚く肥えた感じで、色は黒くてつやがある。茶をいれ

桐木村にある江元勛さんの茶工場。正山小種を作っている

ると、水色は鮮やかな紅色で、味は濃厚なのにまろやか。そして不思議な香りがする。

かつて緑茶を作っていた時代も、人々はこのように険しい道を踏んで、村から遠い山へと茶摘みに行ったのであろう。竹のかごや麻の袋に入れられ、天秤棒でかついで運ばれるうちに、茶葉はその中でこすれ、表面が傷ついてしおれながら酸化発酵してしまい、できあがった茶は必然的に発酵茶となる。これではよい緑茶は作れない。

先に述べたように、十七世紀には福建省一帯で半発酵の烏龍茶が作られていた。実は当時の烏龍茶は、この桐木村の粗悪品の緑茶に似ているという。同じ福建省のことでもあり、発祥は似たような経緯だったのかもしれない。けれども、ちゃんとした烏龍茶は、半発酵や火入れに微妙な加減が必要で、そのほかにも高度な技術を駆使して作られるものである。

桐木の製茶技術は低く、また低地の村よりも気温が低いので、微妙な発酵加減を調節することもできず、烏龍茶を作ることはできなかったに違いない。けれども、もともと運搬中に傷ついてしおれた茶葉を、さらにしっかり揉むことはできた。強く揉むことで葉汁が出て、烏龍茶よりも強い発酵の茶ができる。こうして、半発酵ではなく全発酵の紅茶＝正山小種が登場したと考えられる。十七世紀中ごろのことである。

★世界で初の紅茶の香り

正山小種茶は、烏龍茶とは異なる独特の風味をもっていた。それは武夷山の土壌と気候が作り出した、茶葉自身の香りで、この地に産する龍眼《ロンヤン》（りゅうがん）の果実に似たものである。龍眼の果実は直径二〜三センチで、表面はこげ茶色で産毛がはえている。皮をむくとライチに似た半透明の実が種の周りを覆っていて、それをかじるとほのかに甘く、ライムとプラムをあわせたような淡い甘酸っぱい香りがして、食感はコリッとしている。

このフルーツの香りに、さらにもうひとつの香りが加わる。それは製茶工場の設備の悪さから起こり、偶然に生まれたものだ。

桐木村では、茶葉を乾燥させる際、今も昔も松の木を燃やした火を使う。かつて、村の周辺にたくさんある松の木を、よく乾燥させずに火にくべたので、この煙が工場内に入り、茶葉に付着してしまった。さきほど正山小種の紅茶は「不思議な香りがする」と書いたが、この龍眼の実と松の煙が合わさった香りがそれである。正山小種紅茶は、そういう風味の茶として誕生したのである。

元勛さんは言う。「イギリス人がボーヒーと呼ぶ紅茶は、桐木村の失敗した茶から生まれたものです」

偶然であろうが失敗であろうが、それは中国から直接に茶を買い付けにきたイギリス人の手に渡ったのである。

〈第三章　イギリス人、紅茶を買う〉

★イギリスで好まれた茶

中国本土に足を踏み入れたこともなく、茶の木を見たこともないイギリス人にとって、茶とは途方もなく深い歴史と未知の製法から生まれる神秘の飲み物で、緑茶であろうが発酵茶であろうが、ただただ深い崇拝の念を抱くだけのものであった。緑茶と発酵茶の歴史などは知る由もない。

しかし、やがてはっきりと分かってくることが一つだけあった。それは、緑茶よりも発酵茶の方が、自分たちの嗜好にあっているということである。

これにはイギリスの水質にも原因があった。ロンドンの水は石灰分を多く含んだ硬度の高い水で、これで緑茶をいれると、水色だけは濃くなるが、味と香りは弱くなってしまう。特にタンニン（カテキン類）はお茶の渋味のもとになるが、ロンドンの水ではそれが出ず、パンチのない気の抜けたような味になってしまう。

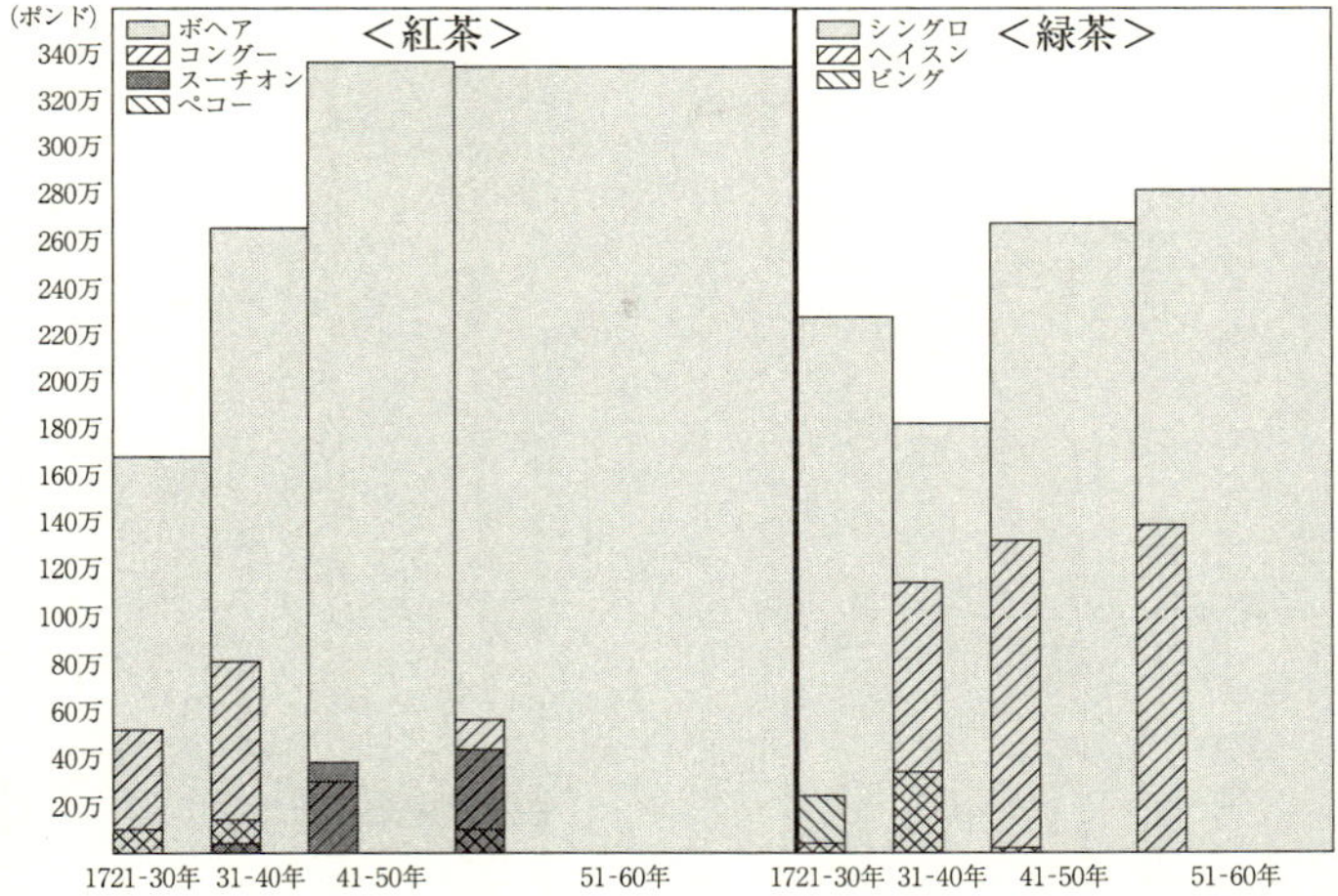

〈18世紀イギリス東インド会社による茶の輸入量概観（紅茶・緑茶別）〉

それに比べ、発酵茶はタンニンの含有量が多くなり、中国の水では強すぎるほどになる渋みは、硬水の影響でマイルドになり、むしろほどよい味になる。水色は、茶よりも先にヨーロッパに流行して普及したコーヒーにも似たこげ茶色を呈し、親しみのある、より美味しそうな色に見えたであろう。

十八世紀に入ると、発酵茶の需要は益々高まった。角山栄『茶の世界史』にある表をもとにグラフを作ると、上のようになる。初めは緑茶が半分以上をしめているが、三〇年代以降には緑茶と紅茶が逆転し、圧倒的に紅茶を求めるようになったことがよく分かる。

紅茶の種類で、最も質のよいのがペコー(中国語の白毫)である。茶葉の、まだ開いていない針のような若い芽には、柔らかい産毛がはえている。この産毛を白毫と呼び、白毫があるような一番若い新芽がたくさん混ざった新茶を、ペコーというグレードにしたのだ。

次のスーチオン（小種）は、さきほどの正山小種の小種とはまた異なる。ここでは、よく成長した大きい葉から作られたもので、製茶した茶葉が小さな種のような粗い形状をしているのでそう呼んだ。水色は透明な赤色になる。

コングー（工夫）は、中国では茶の淹れ方にも使われる言葉だが、ここでは「栽培して作られた茶」という意味で使われている。比較的大型の粗い茶葉で作られ、水色は黒っぽい赤色。香りも強く、イギリスの水によく合った。

ボヘアは、先のボーヒーと同じく武夷山のことであるが、武夷山周辺で作られた大量の紅茶を意味したもので、烏龍茶とやや混同されていた。水色もやや烏龍茶に近い淡さがあり、香りはイギリス人の好きなバラの花に似ていたため、愛飲家は多かった。

★十八世紀のティーマナー

一七二〇〜一七三〇年、まだ緑茶の方が多いながらも紅茶の輸入量も増大し、一年平均の総輸入量が八九万ポンド（約四〇四トン・角山氏の表より換算）になったころの茶の価格は、一ポンド一五シリング以上していた。そのため茶の消費は主に、コーヒーハウスで淹れられたものを、出入りの紳士が注文して飲む、また上流階級の家庭では、高級な食料雑貨店や茶商に茶葉を配達させて自宅で飲む、というものだった。

金持ちの家では、茶は高価な品として、鍵のかかる宝石箱のような容れ物に入れて保管されていた。この箱はキャディ・ボックスと呼ばれ、鼈甲や銀細工がほどこされていて、蓋を開けると左右に茶葉を入れて密閉できる小箱があり、それぞれに緑茶と紅茶を入れるようになっている。キャディ・ボックスの中央にはガラス製や銀製のボウルがはめ込まれていて、この中では緑茶と紅茶をブレンドしてその日のお茶を作ったりした。

客が来たときにはこれを執事や召使に持ってこさせ、主人が鍵を取り出して箱を開ける。茶の淹れかたには二種類あった。一つはオランダ式の、茶葉を銀のポットに入れて水を注ぎ、火にかけて煮出す方法。もう一つは中国や日本と同じく、茶葉を急須のような小さなポットに入れ、その上から熱湯をかけて浸しておくという方法である。

中国から輸入したポットは陶器や磁器でできており、やはり高価なものだったが、半パイント（〇・三リットル弱）しか入らず、何度も湯をつぎ足して二煎目、三煎目を飲んでいた。この頃使われだしたのが、銀製のモートスプーンである。これはスプーンの掬う丸い部分に細かい穴が開けられていて、反対側の柄の先が針のように尖っているもの。ポットの注ぎ口に茶葉や茎が詰まった時には、その尖ったところを差し込んで取り除き、ポットの表面に茎や雑物が浮いている時には、穴の開いたスプーンで掬い取った。これが後に茶漉しになったのである。一杯の茶を飲むのに手間隙をかけるのは、茶が高価で人に見せびらかす品として認められていた証である。

茶の飲み方は、オランダの風習が伝えられてイギリスでもそのまま広まった。茶碗は中国のものか中国式の、取っ手のついていないもの。それに受け皿がつけられた。茶碗から受け皿に茶を移し、受け皿から音をたてながらすすって飲む。受け皿から飲むために、砂糖を入れてかき混ぜた後のスプーンは皿の上に置かず、茶碗の方に入れておくことなどがマナーとされていた。茶碗が小さくて少量しか入らなかったので、一杯を飲み終わると何度も給仕され、もう充分と満足したときにはスプーンを茶碗の上に乗せるか、スプーンで茶碗を軽くたたいて給仕に合図して片付けてもらうかした。

王妃が宮廷にもたらし、貴族の間で流行り、コーヒーハウスでは紳士たちがたしなんでいた茶は、このように高価なものとしてもてはやされ、やがて新興のブルジョアへ、そして中流階級の人々へと浸透し、それにつれて輸入量も飛躍的に拡大していったのである。

★買い付けの港

十七世紀に初めて茶を知ったオランダ人は、はじめは日本からも茶を買っていたが、やがて輸入のほとんどを中国茶にたよるようになった。オランダ東インド会社の拠点のバタビアまで、中国の商人が茶を売りに来るようになったので、そこで中国茶を仕入れて本国に送るだけでよかったのだ。

イギリスは長らくオランダ経由で茶を入手していたが、一六六九年にオランダからの購入ルートを禁止して以来、本格的に自国での茶貿易にのりだすことになった。当時すでにアモイ（福建省）やマカオ（福建省の隣の広東省）にイギリスの商館が置かれていたので、イギリス人は直接中国に出向き、茶を輸入するようになる。ここで、福建省で作られはじめた発酵茶を知り、それが好みにあったので需要はさらに高まり、イギリスの茶の輸入量も増えるという循環が生まれ、やがてジャワのバタビアで茶を仕入れていたオランダをはるかにしのぐようになった。

十八世紀、イギリス人が紅茶に目覚め、需要が急増したのは前項で見た通りである。時に中国は清朝の最盛期で、歴朝で

18世紀の紅茶作法。受け皿に移して飲む（この絵ではすでにカップに取っ手がついている）

最大の版図を誇った乾隆帝は鎖国政策をとったため、一七五七年には外国貿易の窓口は広東だけに限定されるが、アモイやマカオと広東は近く、福建の茶を最上とあがめるイギリスの、茶の輸入量はさらに増える一方であった。

★ラプサンスーチョンの秘密

山岳地帯の武夷山には茶を栽培する畑はない。そのため茶葉は自生しているものを集めるしか方法はない。本物の正山小種は、本当は少ししかとれないのだ。

だが当時のイギリス人にとって、武夷山は紅茶が生まれた茶の聖地である。紅茶と緑茶が同じ葉から生まれることも、発酵茶が最近のもので、主に外国人のために作られていたことも知らず、ただ武夷山の紅茶をブランドとしてあがめ、それを求めた。

そこで中国の茶葉商人とイギリス東インド会社は、不法にも外山（武夷山以外の山）で栽培された茶葉を紅茶につくり、それを正山小種紅茶＝ボーヒー又はボヘア（武夷山の茶）と詐称して輸出し、利益を上げるようになる。桐木村でとれる量は少ないにもかかわらず、三五ページの表によれば、一七五一年から一七六〇年の十年で約二三〇〇万ポンド、平均しても一年あたりに二三〇万ポンド（約一〇四三トン）ものボーヒーと呼ばれる紅茶が出荷されていた。

長い間そのような紅茶がイギリスに大量に持ち込まれたため、イギリスの商人にもどれが本物か分からなくなってきた。そのためいつのまにか、にせものが本物と思われるようになってしまう。その上、ごく初期に本物を飲んで知っていた世代のイギリス人も亡くなると、桐木の龍眼の香りも忘れられていった。

正山小種《チエンシヤンシヤオチヨン》は、イギリス人によってラプサンスーチョンと呼ばれるようになったが、現在その名で売られている茶は、甘いフルーツやほのかな松の香りではなく、まるで正露丸のような匂いがする。一体なぜこうなってしまったのだろう。

桐木《トンムー》村の江元勛《ジアンユアンシユン》さんは、村の歴史を調べた結果を教えてくれた。

「清朝末期から一九四九年まで、この村は戦争とさまざまな混乱によって人も茶の木も傷つき、荒れ果ててしまいました。それまで茶を摘んで売りに来ていた人もこの地から去っていきました。何十年もの間、イギリスの紅茶の需要にこたえられるような生産はできなかったのです。一方で、イギリスの茶商人は、烏龍茶や普通の紅茶よりももっと強い味や香りのものを要求してくるようになりました。中国の茶商人たちは、商売のために外山の紅茶を松の煙で燻煙し、強い匂いを付着させて売った。それが現在の、ラプサンスーチョンと呼ばれる紅茶なのです」

元勛さんの苦悩もここにある。現在、桐木村の彼の茶工場でも、前章で紹介した正山小種茶よりも、この強いラプサンスーチョンを多く作っている。村では誰もこのような茶は飲まない。緑茶を最高とする中国人には、飲めないお茶である。だが、イギリスにお茶を売るためには、この強い茶を作らなくてはならない。本当は、正山小種茶だけを作りたいのだ。

中国の正統な茶では、緑茶にせよ発酵茶にせよ、火を入れて乾燥させた完成品を、香りをつけるために再度いじることはしない。だが、輸出用のラプサンスーチョンは、乾燥した茶葉を再び湿らせて、そこにまた煙をかけるのだという。元勛さんからやっと聞き出した話である。本物の正山小種茶は、現在世間では忘れられ、わずかにひっそり作られているだけだ。

★三つの虚偽

ラプサンスーチョンは日本でいれると煙の匂いが強すぎて、いい香りとはいいがたいが、ロンドンだとかなり和らいで飲みやすい。石灰質の水のせいで、味や香りが軽くなるのだ。

正山小種紅茶の龍眼の香りは、もともと淡く、繊細であった。ロンドンの人たちはそれを物足りなく思ったに違いない。何カ月もかかってロンドンに到着した茶葉は、航海中の劣化によって、香りもより希薄になってしまっていただろう。人々はもっと強い香りを求め、その欲求は東インド会社から中国の茶商へ、そして生産者へと伝えられていたのだ。

だがこうして作られた、正露丸のような燻煙臭のする茶を、いくら石灰質の水でいれるとはいえ、本音をいえばイギリス人も決しておいしくはなかっただろう。強い香りといっても、望んでいたものとは異なるものだったであろう。けれども、イギリス人は武夷山を茶の聖地とあがめ、そこから来たというだけで、神秘的で価値があると思い込み、ありがたく飲んだのだ。

ここに三つの虚偽が生まれる。一つは、イギリスの紅茶の愛飲家たちが、伝説の武夷山に憧れ、まずくても武夷山の茶をあがめ、これを気取って飲んだこと。二つ目は、東インド会社と中国の茶商人の虚偽である。強い香りを求める消費者に対し、売れればいいと、利益のみを追って偽の正山小種茶を売ったのだ。三つ目は、茶の生産者たちの虚偽。自分たちは美味しいとは思わず、飲まない茶を、言われるままに作り続けてきた。

生産者と商人は儲けることだけを考え、消費者は何も知らず、気取って飲んだ。本当の事情を知らされないまま、これが百数十年間続けられてきたのだ。

それは現代でもなお続いている。今でもイギリス人がラプサンスーチョンを飲むのは、一番気取って、格式ばった茶会の時だ。先述のベッドフォード邸でロビン・タビストック公爵に「ラプサンスーチョンはお好きですか」とたずねたときも、答えるのに公爵は一瞬間を置いた。「好きというよりも、歴史を感じさせるすばらしい紅茶です。時々飲みます」とのことである。

こんな香りの紅茶に合わせる食べ物も、そうあるものではない。スモークド・サーモンや、クラシック・タイプのチェダー・チーズくらいである。だからロンドンの高級ホテルなどでラプサンスーチョンを注文し、苺タルトをいっしょに頼もうものなら、たちまちウェイターにばかにされてしまうだろう。こんな伝統的なお茶を注文しながら、合わせるべき食べ物を知らないのは、歴史の浅い家系の成り上がり、というわけだ。

虚偽と誤解で始まったお茶が、今では英国の伝統的紅茶として大切にされている。歴史的文化の奥深さがここにあるといえようか。

★もう一つの伝説

かつて紅茶誕生のエピソードとしてよく耳にしたのは、中国から緑茶を船で運ぶ途中、赤道付近の暑い海上でスコールに濡れ、茶葉が発酵して紅茶になったというものだ。これはありえない話としてずっと否定されてきた。中国にとってもイギリスにとっても、長い茶の歴史の誇りを傷つけ、茶商人のいかがわしい行為を伝えるようなことは、認められないものであろう。

だが私には、火の無いところに煙は立たないようにも思える。熱帯のスコールとは言わなくても、新茶だった緑茶が数カ月、時には一年以上もかけて運ばれたとき、品質はどうなっていたであろうか。今日のように冷蔵保存や密閉の設備などはなく、麻の袋や木箱に雑に詰められ、ほこりをかぶり、湿気を吸った茶葉を、茶商人は捨てただろうか。

再び火を通して乾燥させ、本当の緑茶をよく知らないロンドンの人々に売っていたのではないか。それは桐木村で作られた紅茶とは全く異なるものではあるが、やはり発酵した茶、緑茶よりもイギリスの水とイギリス人の好みに合うようなものだったかもしれない。

あくまで想像でしかないが、イギリス人が発酵茶を好むようになり、緑茶に替わって紅茶が急激に普及した過程に、このようなことも一因としてあったのではないかと思われる。

★祁門紅茶

中国人は、はじめは緑茶を買っていたイギリス人が、やがて紅茶をほしがるようになったことにとまどったに違いない。中国人にとっては、茶といえば緑茶である。だがイギリス人の需要にこたえて、十八世紀から十九世紀にかけて、烏龍茶や紅茶が増産されるようになった。

発酵茶はやがて福建省の外でも作られるようになり、現代では中国の紅茶といえば安徽省《アンホイ》の祁門《キーマン》（共通語ではチーメン）で作られる祁門紅茶がその代表だ。

もともとは緑茶を生産していたが、一八七五年から紅茶を作るようになった。一九一五年にパナマで開かれた世界食品展のモンドセレクションで金賞を取り、インドのダージリン、スリランカのウバと並んで世界の三大銘茶と呼ばれている。

一九九五年に私が訪れたとき、祁門紅茶工場は創業八〇年を迎え、年間二五〇〇～三〇〇〇トンの紅茶を出荷していた。主な輸出先はイギリスとドイツ、イギリスで最も買い付けが多いのはトワイニング社とのことであった。

祁門紅茶の九〇パーセントは輸出用で、国内消費はほとんどなく、祁門の市民といえども日常的に飲むのは緑茶だった。工場で紅茶を出してくれたが、緑茶と同じいれ方で、蓋付きのマグカップに茶葉を一つまみ入れ、大きなやかんから熱湯を注ぎ、蓋をしてしばらく待つ。茶葉が沈んだら、上澄みの茶をすする。給仕がやかんを持ってまわり、カップの中が少なくなると、湯をつぎ足してくれ、二煎目、三煎目と飲む。これでは紅茶といえども、気分は緑茶だ。

工場長の王介生《ワンジエシヨン》さんは、「祁門紅茶は、牛乳を入れて飲むとおいしい」と説明してくれたが、そこでは牛乳は出なかったし、中国人としては牛乳を入れて飲むのは好きではないというのが本音のようだった。

茶葉は細く縒りがかかっていて、グレーがかった黒色をしている。銀色の芽の部分が混ざっていて、これがやわらかいトロリとした味をかもしている。水色は深い赤色で、ルビーの色にたとえられる。香りには乾燥させた龍眼やハチミツのような甘さがあり、蘭の花に似ているともいう。イギリスではティー・ウィズ・ミルクに最適の茶葉といわれ、しかも中国種であるので、東洋の神秘的な味や香りを持つ紅茶として称賛されている。

当時、中国国内での紅茶文化はほとんどなかったようで、祁門市内のホテルで紅茶を注文したら、出てきたのはリプトンのティーバッグであった。

中国人は緑茶を飲み、紅茶を作っても、それはヨーロッパに輸出する。十七世紀以来のこの構図は、今でも続いている。

〈第四章　茶の起源〉

★茶の二元説

十八世紀以降、イギリスの茶の輸入量はとどまることなく増え続け、やがては国家経済の危機を招くまでになる。貿易不均衡を解決しようと中国にアヘンを売りつけ、やがてアヘン戦争になるのは知られている通りだ。

だが一方で、イギリスは中国から買うよりも、植民地支配を確立しつつあったインドで紅茶を作れないかという模索を始める。そのためには、茶の木を入手しなくてはならない。茶の木はどこにあるのか。この時に大きな問題になるのが、茶の木の原産地である。

ここでしばらくイギリスを離れ、茶の起源を探す旅に出ることにしよう。

中国で茶の話といえば、まず登場するのが陸羽である。八世紀、唐の時代に活躍した文人で、彼の著した『茶経』は茶のバイブルともいうべき書だが、この中で陸羽は「茶は南方の嘉木なり」と記している。

陸羽は今の湖北省の竟陵《ジンリン》というところに住んでいた。湖北省は中国のほぼ真ん中に位置しているので、彼がいう「南方」が福建省の方角なのか、あるいはもっと南方なのか定かではない。陸羽自身が遥かな南の国まで旅ができたわけでもない。

紀元前からある中国古代の神話に、神農という伝説の帝王が茶を発見した話があるが、陸羽もこのような伝説として「南方の木」と聞いたままでで、本当の原産地を調べたわけではなかったろう。

陸羽の『茶経』からほぼ一一〇〇年もたった一九一九年、オランダの植物学者コーヘン・スチュアートが、茶の起源について二元説を主張した。

一つは中国種で、温帯種とも呼び、通称はボーヒー。中国の東南部、福建省、台湾、日本に生育し、葉の長さは三〜五センチと短く、低木樹である。

もう一つはインド大葉種で、熱帯種とも呼ばれ、通称はアッサム種。中国の雲南省からインド、アッサムに生育し、葉は大きく二〇〜三〇センチにもなり、高木樹である。

コーヘン・スチュアートは、二つの種類の葉の大きさの違いから、原産地も違う場所であると論じ、葉の大きさが温帯では小さく熱帯では大きいという地域差を、発祥地の違いとしてもいいという欧米の学者たちの支持を得た。

〈茶の伝播と呼称〉

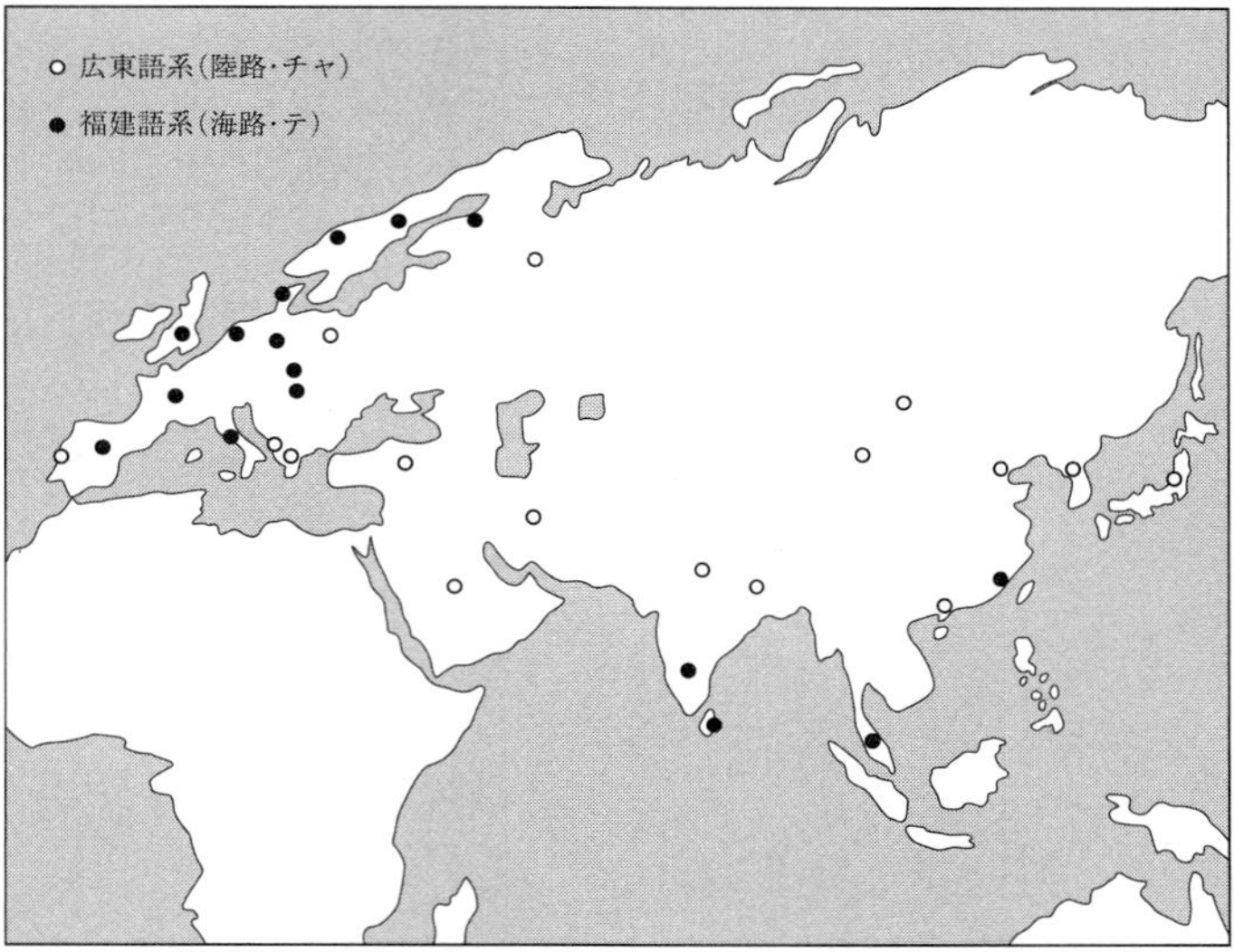

★一元説

これに対し、現在は茶の木の原産地は一つであり、それが各地に伝播する過程で、何らかの理由で葉の大きさが変異していった、と考える一元説が出されている。

『茶の起源を探る』の著者の橋本実は、いろいろな茶葉を集めて測定したデータをコンピューターで分析していく「クラスター分析」という方法で、一元説を導き出した。

橋本氏は東南アジアのあちこちで茶葉を採集・分析し、台湾の中部に生えている茶樹（中国種に分類されている）と、インドのナガランドに生えている茶樹（アッサム種に分類される）の二つが、大変近い関係にあることをつきとめた。これは台湾とアッサムという、かけ離れた場所に生育している茶葉が同一であるということを示し、スチュアートのとなえる地理的分類は当てはまらないことになる。

茶葉の変異の究明には、気候や地質などの環境条件を検討する必要があり、その結果、現在橋本氏は、茶の発祥地は中国の貴州、四川、雲南あたりで、そこから各地に伝播したのではないかと考えている。

また茶の起源を探るのに、茶がどのようなルートで世界に伝播していったのかを、各国での茶の呼称を追うことで調べる、という方法も考えられている（『茶の起源を探る』）。

橋本氏は、広東と福建が隣り合わせでありながら、「チャ」（広東）と「テ」（福建）という、異なる発音になったことに注目し、各地の少数民族の言葉と漢字表記のかかわりなどを比較検討している。

このように原産地の特定には、まだ多くの研究が必要となるであろうが、茶の木の起源が一つであることは、現在ではかなり定説化しているようだ。

★樹齢一七〇〇年の茶――カメリア・タリエンシス

一九六一年、雲南省西双版納《シーサンパンナ》で、樹齢一七〇〇年と推定される茶の巨木が、住民によって発見された。しかしその時は、単に古い茶樹を発見したという報告があっただけで、雲南省の茶葉研究所が現地調査に入って確認したのは、それから十七年もたった一九七八年だった。

場所は少数民族のハニ族とブラン族の住む勐海《モンハイ》県の巴達郷《パーターシアン》 賀松寨《ヘーソンツァイ》 大黒山《ターヘイシャン》、通称巴達《パーター》山の標高一三〇〇メートルのジャングルの中である。

二〇〇三年三月、地元のガイドを頼んでその地に足を踏み入れることができた。巴達山はミャンマーとの国境から七キロの地点で、昔からミャンマーの国境を越えて阿片の密売人が入り込むルートになっているため、公安の警備が厳しい。もし公安と出会って尋問されたときに、身元の確認がしっかりできるようにと、複数のガイドと共に出かける。

樹齢 1700 年のカメリア・タリエンシス

三月初旬だというのに、西双版納の日射しは強く、抜けるような空の青さはどう見ても熱帯の空の色だった。山々の緑は淡く、ところどころに花の薄紅色が混ざる。朝夕は一八〜二〇度と涼しいが、日中の気温は二五〜六度で、一年を通じてこの気候が保たれているそうだ。畑にはパイナップル、バナナ、パパイヤ、マンゴーなど熱帯の果実がなり、野生の象まで出るという。

かつて訪問した紅茶の発祥地・武夷山とは、何という違いだろうか。福建省でも厦門《アモイ》（共通語ではシアメン）あたりは南国の情緒があるが、茶の木がある武夷山周辺は、荒々しさと静寂が折り重なった、水墨画のような世界だった。ところがこの巨大な茶樹のある地は、あまりに中国のイメージを離れた、まさに南国としかいいようのないところだ。

登り始めて一時間ほどはなだらかな山道が続き、歩きやすかったが、農道がなくなり木々や雑草をかきわけて進むようになってからは、なかなか思うように前進できなくなった。十一月の下旬から四月までは乾期で、ジャングルにも入ることができるが、五月から十一月の終わりまではずっと雨が続き、農道も川と化し、あちこちに滝ができてとても入ることはできず、無人地区になるという。

少しだけ明るくなって、見通しがよくなった場所に、その木は立っていた。信じられないほどの大木である。今までにインド・スリランカ・ミャンマー・中国の福建省や安徽省など、各国の茶の木を見てきたが、これはとても茶の木とは思えない。

高さは一四・五メートル、地面から何本もの幹に分かれていて、太いものは直径六〇センチほどもあり、さらに上の方でも幹が分かれている。基部の周囲は二・九メートルもある。

〈雲南省と西双版納〉

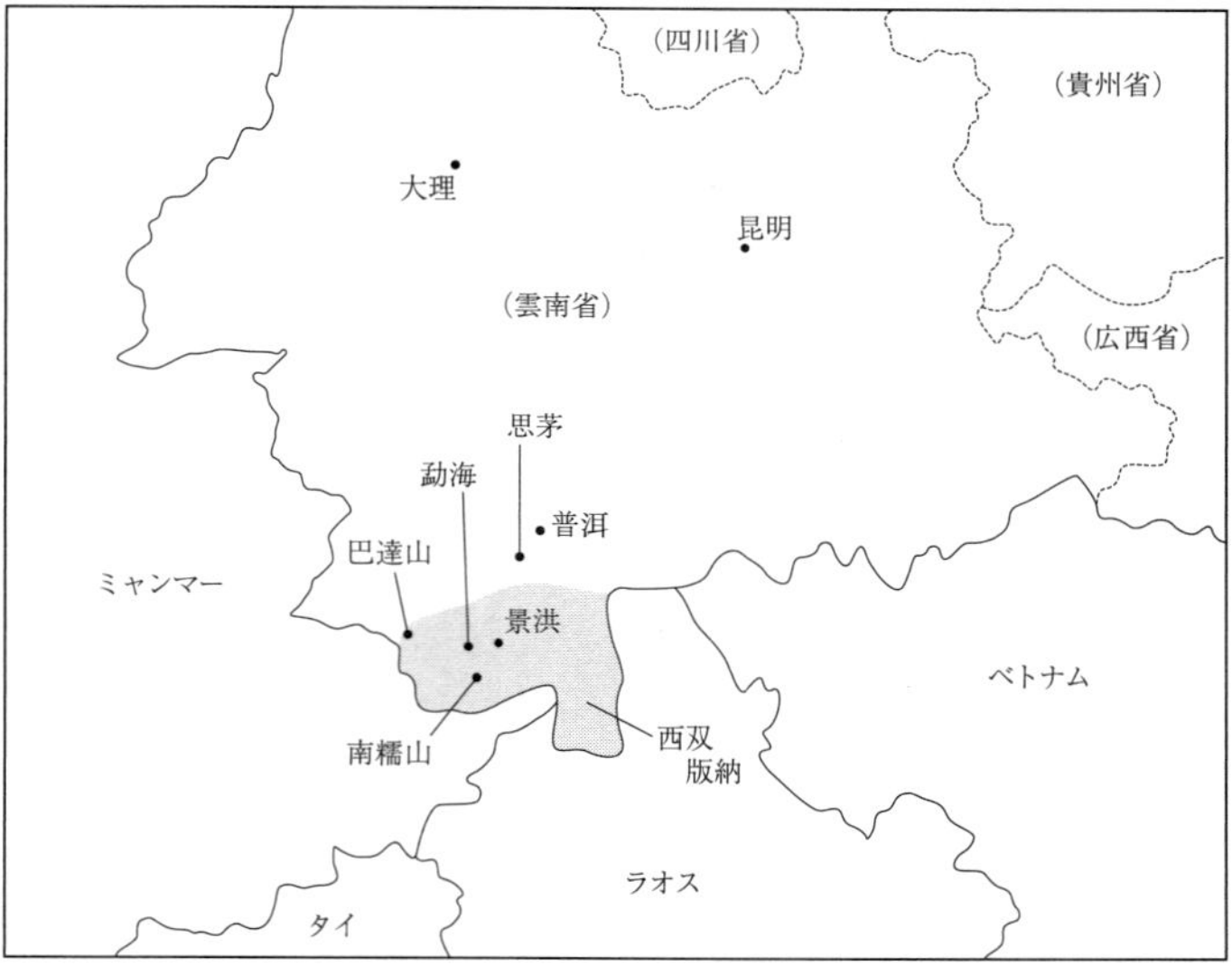

何度かジャンプしてやっと届いた枝先から茶葉を一枚取ってみた。葉の全長五センチ、幅三センチ、今まで見てきた茶葉とは違っていて丸みを帯びている。表面はつやがあり、なめらかで柔らかい。噛んでみると、草いきれのような匂いがして渋みがあった。

雲南省茶葉研究所の報告によると、この巨大茶樹は、現在一般的に普及している茶の木（＝福建省・日本・台湾・インド・スリランカなどで見られる椿科の木）カメリア・シネンシスではなく、それに最も近い近縁植物のカメリア・タリエンシスだという。カメリア・タリエンシスは巨木になり、高さが二〇メートルを超えるものもある。

この巴達山の周辺では、ハニ族やブラン族の一部の村人が、この茶樹を栽培した形跡が残っている。カメリア・シネンシスが普及してくる前に、彼らはこれを茶として飲み、食用にもしてきたのだ。

雲南省には約二五の少数民族が集まり、その人口は約一四〇〇万人になる。

その中でもハニ族とブラン族は古くから茶とともにある民族として知られている。この巴達山の大茶樹もハニ族の人が発見した。

手にしたカメリア・タリエンシスの葉を見ながら思った。千年か、あるいは二千年も前のことか、人間が初めてこのジャングルに入り、この木の葉を手にしたとき、これをどうしただろうか。まずは触って柔らかさを調べ、匂いを嗅ぎ、前歯でそっと噛んで味や風味を調べ、しばらくして食べても身体に支障がないか様子を見ただろう。何ともなく、むしろ元気が出たり、苦みや渋みが適度で快ければ、食に使えると判断する。これが、人と茶葉の最初の出会いだったに違いない。

やがて時が経ち、茶の葉を使い慣れてくると、揉んだり、煮たり、焼いたりして、保存するために乾燥させるという工夫も取り入れただろう。

カメリア・タリエンシスの葉は、カメリア・シネンシスよりも渋みが少なく、これで飲用茶

〈雲南省の少数民族〉

435万人	イ族
100万人以上	パイ族、ハニ族、タイ族、チワン族
50万〜100万人	ミャオ族、カイ族、リス族
10万〜50万人	ラフ族、ワ族、ヤオ族、チベット族、ジュンポー族、ナシ族
1万〜10万人	ブラン族、ヌー族、ジノ族、ブイ族、プミ族、アチャン族、ドアン族、モンゴル族
1万人以下	スイ族、マン族、トールン族

を作っても、物足りない感じになり、あまりおいしくないと聞いた。飲用としてはそうでも、渋みが少ないぶん、食用としてはちょうどよかったかもしれない。今では、雲南省の少数民族はすべて茶を飲用しているが、中には茶の葉を食べる習慣を持つ人々もいるのだ。

ジャングルの奥深くまで入り込まねば手にすることができないような、大木に成長する木でも、利用価値があれば、人の住居の近くに運び、いつでも利用できるように栽培する。自生していた植物が、人の手に触れ、育つ環境が変わると、形や性質も変わっていく。それは高山植物を低地の庭に植えるようなもので、時には環境の変化に合わずに枯死してしまう場合もあるが、生き残ったものは、やがて大きさや色もだんだん変わっていく。

カメリア・タリエンシスは人と出会い、個性が変わり、やがてシネンシスになっていったのではないだろうか。それは今日では、誰にも解けない謎である。

★茶樹王――カメリア・シネンシス

『茶の原産地紀行』（淡交社）の著者、松下智氏は、本の中で、一九六五年七月九日の北京放送のラジオで聞いたニュースのことを記している。それによれば、雲南省の南部、西双版納《シーサンパンナ》の南糯山《ナンヌオシャン》の標高一二〇〇メートルの地で、大茶樹が発見され、雲南省が茶の原産地である証拠となった、とのことだった。

先の樹齢一七〇〇年のカメリア・タリエンシスの発見が報告されてから四年後のことで、今回発見されたのは、間違いなく現代と同じ茶の木、カメリア・シネンシスである。まだ日中国交もない時代で、松本氏がこの大茶樹を確認できたのは、一九八〇年になってからであった。

雲南省茶葉研究所の発表では、大茶樹は老木で、八〇〇年前に地元のハニ族によって植えられたものであるという。幹の部分は中空になっていて、周囲は二メートル七〇センチ、幹の高さは三～四メートル、葉は一五センチほどもあった。まだ生命力が残っていて、茶摘みが可能なくらいは葉も繁っていたと報告されている。

この大茶樹は「茶樹王」として広く紹介され、茶の研究者をはじめ多くの人が訪ねることになったが、それにつれ、茶樹王はどんどん衰弱して、ついに一九九五年に枯死してしまった。

私は先のカメリア・タリエンシスの木を訪ねる直前、実はこの茶樹王の跡地も訪ねたのである。ハニ族の阻寨《ツーツァイ》という村で、南糯山は、その村人が茶摘みをする茶の山であった（五三ページの地図参照）。現在は茶の木を植えて栽培しているが、昔は山頂あたりに植えた木が実を結び、それが落ちて自然に繁殖していたのだという。

村人の思江《スージアン》さんの案内で急な斜面を登っていくと、樹齢二〇〇〜三〇〇年の古茶樹がたくさんあり、それにつかまりながら三〇分ほど登ってやっと頂上に着く。茶樹王の跡地はそこから少し下ったところにあった。手前に東屋が建てられ、周りには鉄の柵が張りめぐらされている。今は柵もあちこち壊れているが、発見された当初は見学者が多く訪れたので、このような囲いがされたのだという。

八〇〇年の茶樹王の跡には草がおい茂り、なんの痕跡もなかった。しかし、すぐ横に直径三〇センチほどで、高さは五〜六メートルほどにも見える立派な茶の木がある。樹齢約五〇〇年になる、茶樹王の子孫が生き残っているのだ。

根元から一メートルほどのところで幹が五方向にも分かれ、左右に大きく枝を広げている。白いコケがあちこちに生え、その古さを物語っている。ちょうど新芽の季節で、黄緑色の新芽があちこちに光っていた。

「樹齢五〇〇年くらいだとあまり珍しくないので、これは有名ではなく、見物客もありません」と思江さんが言った。

「八〇〇年の茶樹王は、われわれハニ族の祖先が植えたものです」とも。

茶樹王は人が植え、人が育てたものだ。ハニ族の歴史は、現在五二代目を数えたとのことで、一代を二〇年として計算すると、約千年の歴史を持っていることになる。南糯山に住みついたハニ族は、千年も前から茶とともに生きてきたのだ。

★ハニ族のお茶

茶樹王のある阻寨《ツーツアイ》村は、高床式の家が三〇~四〇軒集まった小さな村だった。どの家も庭が広く、家も大きくて豊かな感じがする。茶樹王の跡地を訪ねて行ったとき、はじめそこは工《スー》事中で近づけないと言われてしまった。そこでガイドの人が、村で力になってくれそうな思江《ジアン》さんを探し出し、頼んでくれたのだ。

思江さんは田畑をいくつも持っていて、その中には茶畑もある。小柄で浅黒く日に焼けていて、白い歯が健康的だ。髪も黒々としていて、とても六十一歳には見えない。挨拶している横には大きな黒豚が三頭もいて、鶏も何羽も走り回っている。

居間のある二階は薄暗いが、天井や壁のすき間からもれる光が、何本もの光の線になって床を照らしていた。何のしきりもない大きな部屋で、壁側にいくつも布団が敷かれていて、家族各人のベッドになっている。部屋の真ん中に竹で作った丸いテーブルがあり、周囲に高さ三〇センチほどの低い腰掛けが一〇個ほど置かれていた。ここが食卓だ。

部屋の一番隅に竈《かまど》があり、そこが台所だ。台所の床は、板と板の間が一～二センチ空いていて、その下にはさっきの黒豚や鶏が待機している。野菜の切れ端や残飯が落ちてくるのを待っているのだ。

小さなベランダがあり、そこに水がひかれている。私たちは昼食をご馳走になることになり、奥さんと娘さんがそこで仕度を始めたので、下の豚たちも一緒に移動している。思江さんがガラスのコップにお茶を入れてくれた。水色は黄緑色。一口飲んでみる。

ハニ族の茶摘み

緑茶だ。ほのかに渋みがあるが、緑の香りが強く、ほんのりした甘みもある。

これは南糯山の茶畑でとれる茶で、ちょうど新茶の季節なのだという。竹かごの中に、まだ新鮮な茶葉が半分ほど入っているのを見せてもらった。芽は二センチほどもあり、新葉も五～六センチと育ちがよい。樹齢二〇〇～三〇〇年の、代々伝わっている古茶樹だという。

ハニ族に伝わるお茶の飲み方を教えてくれた。その一つは竹筒茶である。生葉を火の上であぶり、黄色になったら竹筒に入れる。そこに水を注いで、火の中に入れ、沸かして飲む。他に、土鍋の中に生葉を入れ、炒ってから飲む方法もある。一番簡単なのは、生葉をただ火であぶり、すぐに熱湯をかけて飲む方法だ。しかし近頃は、売るために作る茶が多いので、ちゃんとした釜炒り緑茶を作ってそれを飲んでいるとのことだった。

少数民族の人々は、かつてはより豊かな土地をめざして、住居を転々と移していった。そこでは民族同士の戦いがあり、略奪があり、和合があった。そして移動するときには、家畜や作物などの財産と、今までの生活の知恵を一緒に次の地へもたらし、次の代、次の民族が受け継いでいったのだ。国境などなかった時代、少数民族とともに、茶の種や苗も、飲み方や食べ方も、伝えられていったに違いない。樹齢一七〇〇年のカメリア・タリエンシスと、八〇〇年の茶樹王の双方にかかわるハニ族のお茶を飲みながら、そのような時の流れを考えていた。

★ジノ族の食べるお茶

少数民族の中でも茶について詳しく、生活と深くかかわっているのがジノ族だという。ジノ族は、もとはハニ族と混同されていたが、ハニ族とは違った独自の習慣や風習を持つことから、一九七九年に一八〇〇〇〇人あまりが西双版納の北部にジノ区を求め、最も新しく認知された民族として独立した。

少数民族のお茶を訪ねて、ジノ族の切資《チエツー》氏にお目にかかった。切資さんの住む新司土《シンスートウ》村は、やはり高床式の家が五〇〜六〇軒ほどの小さな村である。切資さんは四十六歳、身長一六〇センチほどの細身で、細い目のやや垂れている、温厚でやさしい顔立ちの人だ。

村のあちこちにバナナの木があり、弓形の長い枝に、青いバナナが数十本もたわわに実っている。ジャックフルーツやパパイヤもある。見事に熟したパパイヤを眺めていたら、ここでは人はパパイヤを食べない、豚だけが食べるものだと言われて驚いた。

切資さんの家はやはり二階建てだが、一階で家畜を飼うのではなく、一階も壁で囲ってあり、土間には竈があって料理や食事ができるようになっている。茶を作って売っているので、この一階で作業をする方が便利だからだという。土間の隅にある、昨日作った茶を見せてもらう。長さ二〜三センチの緑茶だ。摘んできた生葉を半日ほど置いてから手で揉み、それをすぐ釜に入れて炒る。現在中国各地で作られている釜炒り製法だ。

けれども普段飲んでいるのは別なので、それを作るから、今から茶摘みに行こうと言って、切資さんは布袋を肩に下げて外に出た。

茶畑はむらはずれのすぐのところにあった。小高い山の雑木林のようで、斜面一帯に二〜三メートル、中には五メートルくらいも伸びた茶の木が、数えきれないほど生えている。どれも樹齢数百年はたっていようという古茶樹だ。村の茶畑だという。人の手はあまり入っていないようで、代々の昔から自然に増えてきた様子である。

この茶畑は、村の人なら誰でも自由に摘むことができる。三月上旬の今は新茶の時期で、下旬になればもっとたくさん取れるようになるそうだ。伸び放題の枝から新しい枝を見つけて摘むので、なかなかたまらないが、切資さんは慌てるでもなく、これから飲むお茶をのんびり摘んだ。途中でタバコを一服すると、急な斜面を飛ぶように登っていった。私もガイドもとてもついていけず、何度も足を滑らせ、古茶樹にしがみつきながら後を追う。一時間あまりで袋の三分の一ほどたまったところで、茶摘みは終わった。

家では奥さんが竈に火をおこしていた。三歳の孫娘が一緒だ。若夫婦は出稼ぎに行っているという。

切資《チエツー》さんは布袋から生葉を一すくいほど取り出し、手のひらで揉み始めた。さらにバナナの葉を敷いてその上で揉みつづけ、それを、竹を半分に割った器の中に入れる。草の緑の香りが漂う。奥さんが、別の竹の器の中で生姜を棒で砕き潰し、ニンニクと唐辛子を加え、先ほどの揉んだ生葉に入れて、塩を一つまみ振る。最後にやかんの湯を器に半分ほど注ぎ、スプーンでかきまぜた。切資さんが汁をすくって渡してくれた。

「飲めば茶、食べればおかず」と言う。

すすってみると、まずしょっぱさを感じる。そして唐辛子がぴりっときいてくる。生姜のさわやかさと、ニンニク、それに茶葉の青い香りとほのかな渋み。生野菜のようなうまみもある。涼拌茶《リヤンバンチヤ》というのだそうだ。

茶葉をつまんで食べようとすると、三〇分くらい待てと言われた。その間に奥さんが昼食を仕度してくれる。大きな鉄鍋で鶏肉と青菜が炒められていく。竈に大きな薪がくべられると、

ジノ族の食べるお茶。涼拌茶という

煙と炎が鍋を包み込む。料理の湯気、薪の音と匂い。外ではこの匂いに興奮しているのか、黒豚が騒ぎ、やせた犬が走り回っている。

料理は大きな丼に分けられ、土間の低い机に並べられた。さっきの涼拌茶が真ん中に置かれ、山盛りの白いご飯もそえられている。

涼拌茶はスープを十分に吸ったのか、しっとりと柔らかくなっている。噛んだとき

の感触は高菜のようだ。塩味と緑の葉のさわやかな香りがする。そしてほろ苦く、すぐに白いご飯が食べたくなる。飲み込んだ後、生姜とニンニクの風味がかすかに残り、それが食欲を刺激して、もう一口食べたくなる。

「これはいつも食べているものですか」と聞くと、切資さんは鶏の骨をしゃぶりながら「三月から五月にかけては、ほとんど毎日のように食べている。ジノ族もハニ族も食べますよ」と答えてくれた。

「かつてジノ族はジャングルに入り、狩りをしたり植物を採ったりして生活してきました。食事をするときはこの茶葉を採り、その場で食べたり飲んだりしたものです。今でも森の中で仕事をする時はそうしています」

★ジノ族の竹筒茶と茶のルーツ

涼拌茶の他に、切資さんは飲むためのお茶も用意してくれた。これも青竹を使ったものだ。今度は茶葉を全く揉まず、いきなりバナナの葉で包み、竹を細く割った紐でしばって、火の中にくべた。一〇分ほどして取り出すと、少し焦げながらバナナの葉で蒸し焼きになった状態になっている。色は鮮やかな緑で、甘い香りがただよっている。

そのあつあつの茶葉を、長さ一メートルほどの、口を斜めに切った青竹に入れ、水をいっぱいに注いでから直接火にくべると、また一〇分ほどで沸いてくる。竹筒から直接ガラスのコップにお茶が注がれる。

斜めに切った青竹の口から、淡い黄色のお茶が、白い湯気と一緒に流れ落ちてくる。その色はタンポポや菜の花の黄色に近い。

熱いのでゆっくりすすってみた。甘い。それは砂糖やハチミツのような、純粋で強い甘さではなく、サトウキビの汁をお湯で薄めたときのような、ほんわりとやさしい甘さだ。ほのかな青っぽい香りがするのは、バナナの葉か、青竹の香りか。今までにかいだどのお茶の香りとも違う。

竹筒茶をわかす

竹筒のお茶も、涼拌茶と同じく、ジノ族やハニ族では日常的な茶の利用方法だという。どの民族がこれを最初に始めたのか、それは分からない。切資さんの言葉通り、人々は昔から森の中で腹ごしらえをする時に、茶葉をその場ですぐに食べたり飲んだりしてきたのだろう。

西双版納の少数民族の多くはいろいろな竹筒茶を作り、飲んだり食べたりし、保存用に加工したりしている。また竹筒に詰め込んだ茶葉はしっかりと固まるので、竹を割って取り出すと、運搬に便利な磚茶《だんちゃ》にもなる。

ブラン族は勐海《モンハイ》県の西方、ミャンマーの国境に近い地域に住んでいるが、古くから竹筒を利用して、茶葉を漬物のようにして食べる習慣がある。摘んできた生葉をそのままか、または竈に入れて少し蒸し焼きにし、それを竹筒にしっかり詰め込む。バナナの葉で蓋をし、これを竹の紐でくくり、さらに粘土で覆って密閉し、土の中に埋めて発酵させる。一カ月ほど経ってから取り出すと、漬物のようになった茶ができているのだ。

切資《チエツー》さんのいれてくれた竹筒茶を前にして、雲南省の少数民族と茶のひろがりに思いをはせた。

西双版納の少数民族の中でも人口が多いタイ族は、東南アジアの山地を中心に国境を越えて住んでいるが、その名の通りタイに最も多く住んでいる。古くは中国の長江中流域に住んでいた民族だ。漢族との度重なる戦につれて南方へ移動し、雲南を経て今のタイに到達、また東側のラオスと西側のミャンマーにも分かれて侵入していった。

ハニ族、ドアン族、ブラン族、ジノ族は、このタイ族から分離し、少数民族として独立していった人々である。原生林の中に生えていた茶の木を知り、茶葉を摘んで食用や飲用にするこ

〈タイ族の移動した南アジア〉

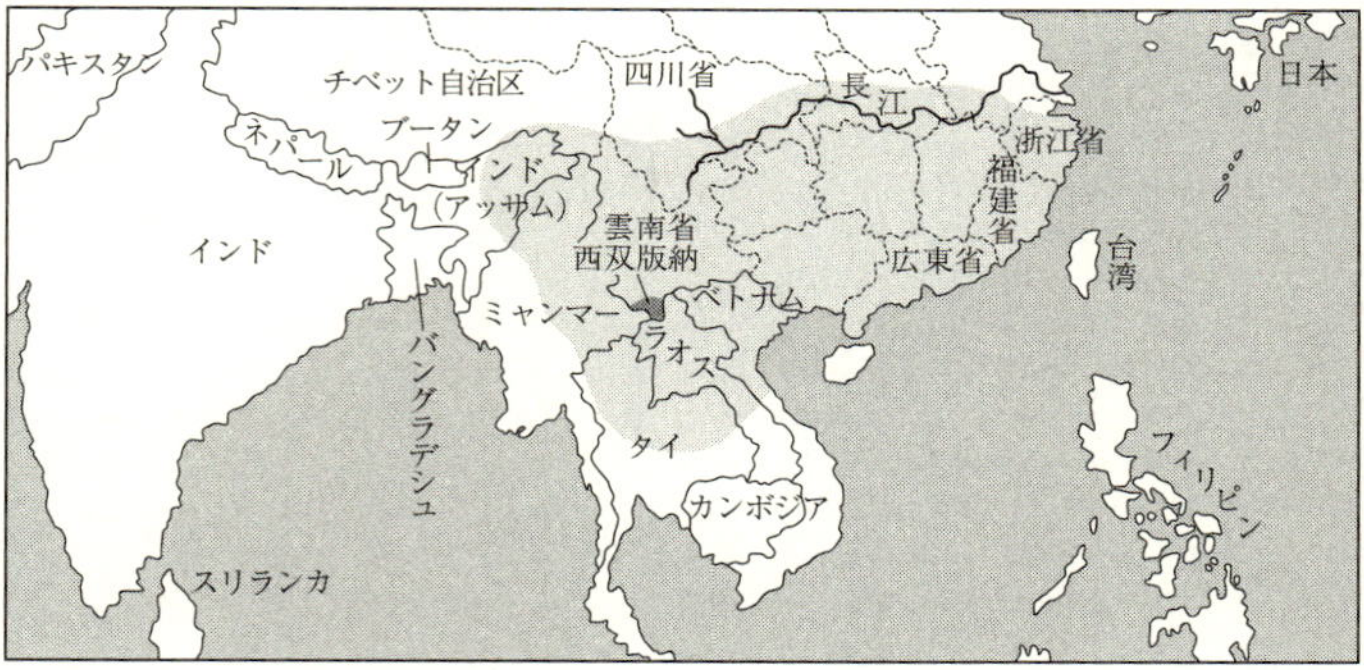

とをはじめた人々だ。

タイ族は広東省、福建省、浙江省でも栄えていた民族である。こうして見ると、タイ族をひとつの原点として、南、東、西に民族が発展していった経路が分かる。一族のあるグループが一つの地に定住した場合は、その地の名前をつけた新たな民族として独立し、さらに移動していった者たちは、その先でまた新たな名をつけた一族として栄え、分派・拡大していったのだ。

中国全土において、茶とかかわりのない民族はいない。その発祥を考えたとき、雲南省から福建省までの広い地域にまたがって住んでいるタイ族が浮かんでくる。石器時代からともいわれるほど古くから、彼らは野生の茶樹のある地域に住んでいる。タイ族が移動とともに茶を運び、その利用法を周辺の民族にも伝えていったと考えられないだろうか。

今ではいくつにも分かれているが、もとは同じ文化である。現在のハニ族やジノ族のように、半ば自生している茶の木から葉をとり、食べたり飲んだりする習慣が、タイ族の拡大とともにさまざまな地域や民族に広がり、やがてその方法や名前も変わっていく。だが茶の木の葉という素材だけは、変わることなく伝えられていったのではないか。

少数民族の移動と茶の伝わった経路を証明するものは、今はない。けれどもいつの日か研究が進んで、やがては世界中に広まることになった茶のルーツも解明されることであろう。

★少数民族の日曜市場

西双版納の少数民族は、顔立ちや背格好がみな似ていて、外国人にはその違いが全く分からない。ところが毎週日曜にひらかれる勐混《モンフン》の市場では、数多くの民族が一堂に会し、それぞれが伝統の民族衣装に身を包み、目一杯のおしゃれを披露すると聞いて、出かけていった。

どこからこれほどの人が集まってきたのか、市場に近づくにつれ、道は人であふれ、車道も歩道も関係なく人が入り乱れている。荷物を載せた牛車や人力車、自転車。農業用のトラクターに車をつけ、ぎっしりと人を乗せてくるものもある。

なんといっても興奮するのは、彼らの衣装だ。タイ族、ブラン族、イ族、ヤオ族、ハニ族、ナシ族、ジノ族と、それぞれの民族の衣装があふれ、色彩の渦である。中にはシンプルに黒と

西双版納の市場。民族衣装の女性たちが集う

赤、紫に青色くらいでシックに統一した衣装もあるが、たいていは赤・ピンク・紫・黄・緑・青・橙・黒と、強烈な色のシャツやベスト、スカート、布製の靴やスカーフで、さらにそれらには色糸で刺繍がほどこされている。

人々は背中に大きなかごを背負っていて、中には野菜・果物・雑貨品などを、自分の頭の高さを越えるほど積み上げ、これと思う客を見つけると所かまわずどこでもそれを下ろして広げるので、もう収拾がつかないほどの混雑である。

ただ中央にはテントが張られた市場があり、ここには一応通路があるので、物を見ながら歩くことができる。青野菜・芋類・豆・唐辛子・漬物・干魚・肉・鶏・豚・川魚・緑茶・金物・雑貨・民芸品の数々、手織り布製品、銅や銀の細工物と、あらゆるものが並び、その間に、食べ物を売る屋台が、鍋一つで揚げ物や炒め物を作ったり、焼き鳥、焼肉をあぶったりしている。人々はどこにでも立ち、座り、食べ、話し、売り買いに余念がない。

中でもひときわ鮮やかな布や雑貨が並んだ一角に来たとき、ガイドが指差して、これらはみなミャンマー製のものだと言った。国境を勝手にこえて持ち込んでくるらしい。しかしそう教えられても、どの商品も異質な感じがしない。ロンジーと呼ばれるミャンマー製の巻スカートも、布製のシャンバッグも、西双版納の他の少数民族のものとあまり変わらないように見える。西双版納の一番大きな街の景洪《ジンホン》からミャンマーまでは約一五〇キロ、この勐混の市場からだと六〇〜七〇キロ、ミャンマーはすぐ近くなのだ。

何百年もの間この一帯を住処とし、自由に往来をしてきた少数民族にとって、現在の国境などは見も知らぬ者が勝手に定めた境界であって、意味のない、守る必要のないものだろう。

かつて一大勢力を誇ったタイ族は、雲南省からタイ、ラオス、ミャンマー、そしてインドのアッサムまで進出したが、この地域で有名なのは阿片のルートだ。勐海《モンハイ》県の巴達《バーター》山に一七〇〇年の古木を訪ねた時、ガイドの蔡《ツァイ》さんが何度も言っていた。

「このあたりから、北の保山《バオシャン》のあたりまでは、ミャンマーとの密輸が盛んで、特に阿片が取り引きされているから、公安が厳しく警備している。捕まるとなかなか帰してくれない」

私たちは阿片と聞くとすぐ犯罪という気がするが、少数民族の人々にとっては、伝統的な薬品でもある。もともと阿片は鎮痛・鎮静の薬、または下剤として古くから使われてきたものだ。そしてこの市場のあちこちに積み上げられている茶も、同じく薬効をもつ飲料であった。

茶と阿片は全く異なるものだが、少数民族の長い歴史の中では、同じ薬として使われ、また換金できる貴重な作物として作られ、販路を広げてきたのである。

★ミャンマーに伝わった茶

樹齢一七〇〇年の茶の巨木があった雲南の巴達山は、ミャンマーのシャン州に隣接し、国境まで七キロという地点だった。この木を発見したのはハニ族だが、ハニ族とルーツを同じくするドアン族の中から、さらにミャンマー東部に移住した人々は、シャン州やカチン州に住み着き、パラウン族やシャン族と称するようになった。

巴達山にも近いシャン州のナムサンというところに、ロエサイ山という山があり、その頂上にロエサイ・ペタミャータオンドという寺がある。二〇〇〇年も前に建立された由緒のある寺で、ここにはある伝説が伝えられている。

――八〇〇年ほど昔のこと、パガン王国のアラウンシドウ王（一一一二〜一一六七）がこの寺を訪れた時、七羽の鳥を奉納した。近くで捕らえたミャンという鳥であった。この七羽のうち、二羽ののどが膨らんでいたので、中のものを取り出してみると、何かの木の実であった。

アラウンシドゥ王はこれを神の実として、タンマー村の長老タンオンに授けた。タンオンは王にひざまずき、右手を差し出してその実を受け取った。これはタンマー村では最も敬意を表すポーズだった。そしてタンオンがこの実を植えたところ、茶の木になった。

ミャンマーの言葉では片手のことを「レテ」と言い、葉のことを「ペ」という。それ以来、この国では茶葉のことを「レテペ」と呼ぶようになった――。

私がロエサイ・ペタミャータオンドを訪れたのは二〇〇〇年四月のことである。

寺の敷地には「パヤー」と呼ばれるパゴダが無数に建てられていた。新しいものは、真っ白な台座に十数メートルもの高さの金色の塔がそびえている。何百年も経っているものは、苔に覆われ、朽ちて崩れかけている。功徳を積んだ証、名誉のシンボルとして、営々と奉納され続けてきたものだ。

林立したパゴダの間に小さな仏殿があり、その横に直径三〇センチほどの、樹齢数百年の茶の木が柵に囲われて植えられていた。タンオンが授かったという茶の木だという。高さは五メートルほどもあり、枝が四方に張っているので葉はまばらにしか生えていない。それでも枝先には黄緑色の若葉が日の光を受けて輝いていた。

ミャンマーでも、雲南のジノ族やブラン族と同じように茶の葉を食べる。生葉を一度蒸してから手で揉み、それを地面に埋め込んだ大きな樽に仕込んで密封し、重石をのせ、三カ月から半年くらい寝かせておく。すると樽の中の茶葉は発酵して漬物のようになるのだ。これを取り出して、揚げニンニクのスライス、干しエビ、揚げたソラマメ、皮付きのピーナッツ、ゴマ、青唐辛子などと混ぜ、味付けにピーナッツオイルやレモン汁、時にはナンプラーも少し加えて、和えもののようにして食べる。

味は、微妙な酸味があって、噛んでいると舌が縮むような渋みが出てくる。それは不快な刺激ではなく、飲み込んだあとはもう一口食べたくなる衝動にかられる。ラペットゥと呼ばれる、日常のお茶うけである。

雲南からはほど近いミャンマーの山寺で、人々は同じように茶を飲み、食べている。これも、かつては同じタイ族だった人々が移住して名前を変えつつも、茶の文化を伝えてきた長い足跡の一つである。

ミャンマーのロエサイ・ペタミャータオンド

★ミャンマー人のアッサム侵略

地図（八〇ページ）を見るとよく分か

るが、雲南省の北部、ミャンマーのカチン州、そしてインドのアッサム地方の東部は、まるで三方からギュッと圧縮されたように隣接している。

すでに触れたように、タイ族をルーツとする人々はこのあたりを西へ、南へ、移動していた。特に十三世紀は最も活発に動いた時期で、西へ向かった者はシャン州ばかりか、さらに進んでアッサムにまで到達する。

彼らを率いたのはシャン族のスカーパという王で、アッサムに居住を決め、王として君臨したのは一二二八年のことである。そしてこれ以後はアホーム族と名乗った。

アホーム族はアッサムに入ると、ブラマプトラ川のほとりで稲作を中心とした農耕社会を形成していった。この生活形態はタイ族系社会の共通点でもある。

一方シャン州より北のカチン州では、雲南省北部から来たドアン族が、パラウン族と名を変えて住むようになり、さらに東進してアッサムに入る。彼らは再び名を変えて、ジュンポー族として、アホーム族とは別に、やはりアッサムに定住していった。

人々は雲南・ミャンマーでの生活と同じく、ここでも茶の木を植え、茶を飲んで暮らしていた。そして後年この地がイギリスの植民地になったとき、イギリス人は中国の福建から遠く離れたインドの地に茶の木があるのを知って驚き、その茶樹から中国から買うのと同じ紅茶が作れるのか、という問題をめぐって大論争になった——これについては第七章に話をゆずろう。

★イギリス人のミャンマー支配とミャンマーの紅茶

イギリスがミャンマーの統治に本格的にのりだしたのは、一八二四年の第一次イギリス・ビルマ戦争からであった。その後何度もの戦いを経て一八八六年一月に、イギリスはやっとビルマ全土をイギリス領土とした。実に六〇年以上もかかっている。

時は十九世紀後半、イギリスでは紅茶の需要がさらに高まり、イギリス人は中国から買う以外に、植民地のインドで茶の栽培をしようとやっきになっていた時期だった。だが不思議なことに、イギリス人はアッサムの茶園開発に力を注ぎ、ミャンマーの茶にはまったく関心を示さなかった。当時のミャンマーでは緑茶が飲まれていたが、イギリス人はインドでの茶栽培に精一杯で、ミャンマーの茶にまで注目する余裕がなかったのだろうか。

カチン州、シャン州ともに、古くから現在にいたるまで茶の産地で、ミャンマーの主な飲み物である茶を作っている。ミャンマーでは、ロエサイ・ペタミャータオンドのほかに茶畑も訪ねてみた。

ミャンマーの茶畑は、険しい山岳地帯にあり、山の斜面や渓谷に茶の木が植えられているが、茶樹は剪定などされずに自由に成長していて、枝が四方に伸びている。春先から夏にかけて出る芽や葉を、山菜と同じような感覚で摘んで集めていた。

樹齢は一〇〇～二〇〇年で、幹の太さが三〇センチ近くもあるような茶の古木が集まっている山もある。十三世紀からミャンマーに移り住んだ人々が何百年もかけて栽培し、代々伝えてきた茶畑である。

ミャンマーの人々は、緑茶と紅茶の両方を飲む。緑茶は中国式の釜炒り茶で、味も香りも中国のものとほとんど変わらない。だが中国と大きく異なるのは、紅茶を飲む習慣が定着しているということだ。首都のヤンゴンでも、茶どころに近いマンダレーの街でも、紅茶を飲ませる喫茶店や屋台がいたるところにあった。紅茶はラペイエ、喫茶店はラペイエサイと呼ばれている。

ラペイエの作り方は、まずカップかグラスにコンデンスミルクを一～二センチの高さになるまで入れ、その上から煮出した濃い紅茶を注ぐというもの。喫茶店や屋台で注文すると、下は白いコンデンスミルク、上はコーヒーのような黒い紅茶と、二層に分かれたものが運ばれてくる。これをスプーンでゆっくりかきまぜて飲む。実に甘い。ミルクの香りが強くて紅茶の味が分かりにくいが、飲み込んだ後には何ともいえない香ばしさが残る。日本のほうじ茶を強くしたような焦げた味で、質の悪いコーヒーに麦茶を混ぜたような感じだ。

このラペイエを、誰もが一日に五～一〇杯も飲んでいる。朝食も昼食もラペイエサイでとり、午後のお茶もここで飲む。ラペイエを飲みながら一日を過ごすのだ。ティーフードとしては、揚げパンやドーナッツ、食パンなどを浸しながら食べる。中国の影響か、肉まんやあんまんを蒸したものもある。

ミャンマーでお茶にミルクを入れる習慣は、ミャンマーがイギリスによって統治された十九世紀半ばから始まったものである。コーヒーと共にイギリスから教わった、ティー・ウィズ・ミルクを取り入れたのだが、ミャンマーには新鮮な牛乳が流通しておらず、暑さの中では保存もきかなかったため、ミルクがコンデンスミルクになったのだ。

紅茶の製造方法にも特長がある。生葉をしおらせてから揉み、酸化発酵させるところまでは同じだが、最終段階で乾燥させるとき、熱した鉄板の上に茶葉をのせて、焦がしながら乾燥させるのだ。これであの独特の焦げた香りの紅茶になるのだ。

厨房ではこの茶をコップですくいとり、そのままやかんに入れ、二〇～三〇分も煮出す。その後、茶がらを漉して別のやかんにできた茶を移し入れ、ここからコップについでゆく。このやかんは、茶が売れて空になるまで、このまま弱火にかけておくのだが、時折、煮詰まらないようにお湯を足している。

この焦げた香りがミャンマーの人には好まれていて、繁盛しているラペイエサイでは、その店の特徴を出すために、紅茶を煮出す際に少量のインスタント・コーヒーや焦がした米を入れて、より焦げた苦味を出したり、シナモンスティックを入れて風味をつけたりしているところもある。

ラペイエサイでは、この紅茶は注文してお金を払うが、緑茶は日本の喫茶店の水のように無料でサービスされている。どのテーブルにもコップと急須が置かれていて、自分でいれて好きなだけ飲む。実際のところ、紅茶が甘くて濃厚なので、飲み終わった後に緑茶が飲みたくなるのはどうしようもない。

イギリスによって侵略されたミャンマーでは、その後も伝統的な生活習慣を保ちながらも、イギリスの風習を取り入れた。ラペイエはその一つだ。

イギリス人がかえりみなかったミャンマーの茶畑で、人々は今も茶を摘み続けている。イギリス渡来のミルクティーの後で、伝統的な緑茶を飲みながら。

〈第五章　茶馬古道〉

★普洱の街

雲南省で茶が生まれ、タイ族とともに東西の国々に広まったとしても、やがて中国全土に茶が普及したとき、茶どころの中心地となったのは福建省だった。茶の栽培に適していただけでなく、それを遠くにまで出荷する港にもめぐまれていたからだ。ヨーロッパ人が茶の発祥地を福建省だと思ったのもそのためである。やがて福建省で作られるようになった発酵茶がイギリスを中心に世界に広まったのは、前章で見た通りである。

ここでもう一つ、福建省とは別の発酵茶のルートを見てみよう。今度は同じ雲南省でも、西双版納《シーサンパンナ》最大の街・景洪《ジンホン》から一六〇キロ北にある思茅《スーマオ》地区が出発点である。

思茅は、東と南はベトナム・ラオス、西南部はミャンマーとの国境に接し、北はチベットへ向かう道が張りめぐらされていて、雲南省の中でも古くから交易が盛んな地だった。

また雲南省でも一番のお茶どころでもある。四方を山に囲まれているため、どこから行くに

〈茶馬古道のあった雲南チベット略図〉

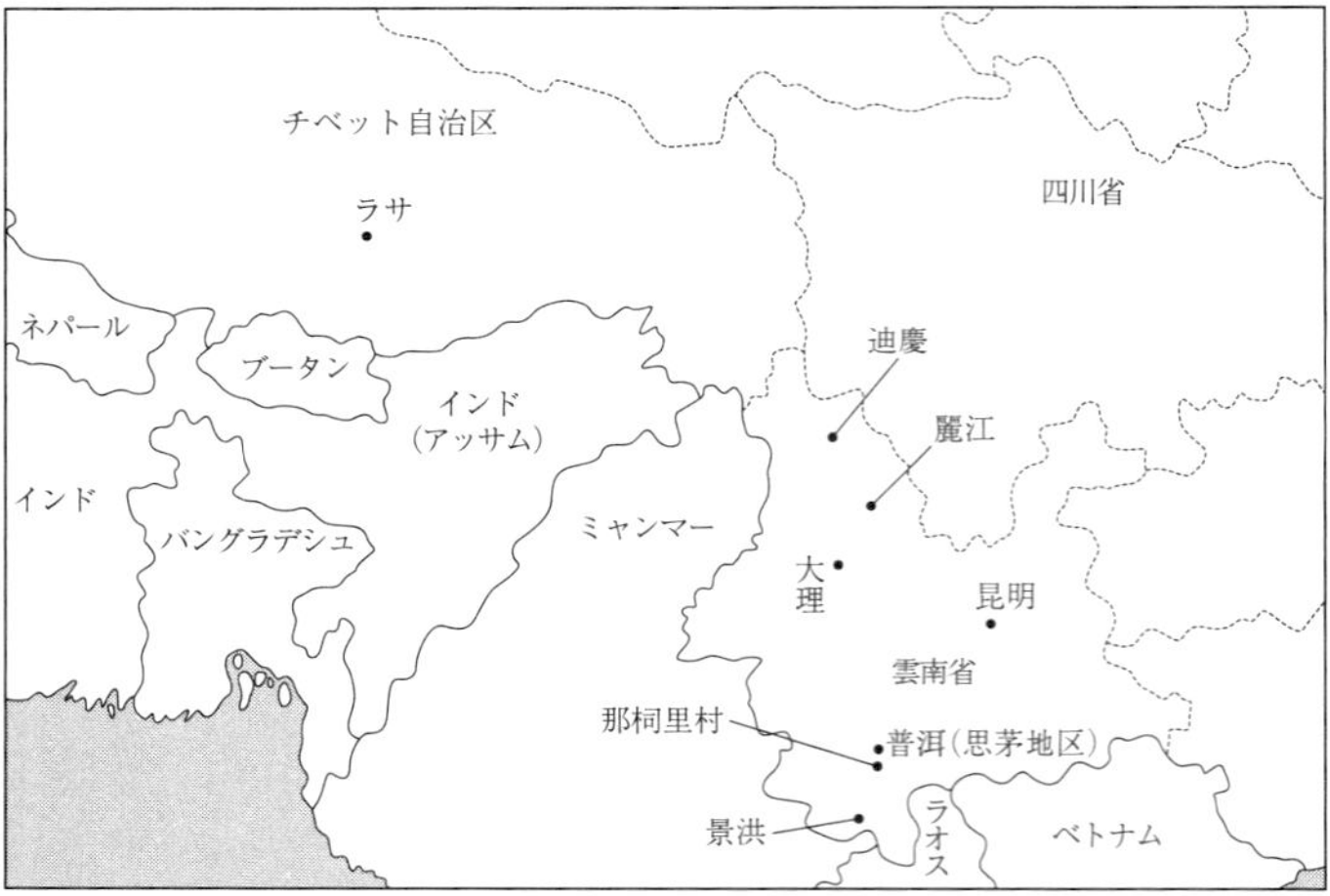

も山道を通り、峠を越え、途中の渓谷に刻まれた、幾筋もの茶の段々畑を見ながら進むことになる。

私が思茅《スーマオ》を訪れた時も、緑色の布が天から落とされて、折りたたまれながら山を覆ったような風景に目を奪われた。だがよく見ると、それは一色ではない。新芽が出たばかりのところは黄緑色に見え、新葉が育ってくると青緑、茶摘みが終わったところは深緑色だ。その緑の中に、白や黄色、赤色の点が散らばっている。この地の少数民族の人々が茶摘みをしているのだ。

地区の中には、茶の生産はしないけれど、集積所として栄えた街もある。それが普洱《プーアール》だ。雲南のいたるところで目にするお茶のほとんどに普洱茶と表示してあるので、茶の産

雲南省思茅地区の茶畑

地かと思ってしまうのだが、街の周辺には茶畑などなく、製茶工場も見当たらない。

この街に茶を集め、市が開かれるようになったのは、十～十三世紀に栄えた大理《ダーリー》王国の時代のこと。そのため、茶の産地の思茅の山岳地帯を縫うように、一～二メートルの幅に三〇～四〇センチ大の石を敷きつめた古い道が通じ、普洱へと向かっている。かつて中国からチベットへは茶を、チベットから中国へは馬を運んだ道で、茶馬古道と呼ばれている。

★茶馬古道の村

普洱から南へ約五〇キロ下った、標高千メートルほどの山間部にある那柯里《ナスリ》村を訪ねてみた。途中の古道の石には、ところどころ何かで削ったような数十センチ四方の窪みが見られる。かって行き交う馬がみな、同じこの場で踏ん張ったり、滑るのをとどまったりしたので、何千回、何万回と蹄に踏まれてすり減ったのだという。馬のいななきや荒い息が今にも聞こえてきそうな、時の名残りの跡だ。那柯里村には小さな滝があり、澄んだ水が流れていた。その淵を石でせき止めた水場では、女の人が水汲みをしていた。

村は、山の斜面に広がる三〇戸ほどの集落で、茶馬古道を挟んだ両側に家が建てられている。その一軒に李天林《リーティエンリン》さんの宿屋がある。李さんは六十四歳、奥さんと、息子が二人、娘が一人の五人家族。李さんはここで三代目になるが、その前にここに住んでいた人も、四代にわたってこの宿を営んでいたそうだ。この村は三〇〇年ほど前から栄えていたらしい。一九五二年に国道ができたので、それ以来この古道を通る人はいなくなったが、李さんが十歳のころまでは、一日に馬が二〇〇頭くらい、多い時は五〇〇頭も通っていったという。

馬の背には普洱茶がのせられ、夕方から深夜に入ってくるものは六〜七時間休んで食事をとり、馬は水とワラを与えられ、また出発していった。大雨で動けない時は、馬が入る場所がなく、古道に何百メートルも連なり立ったままだったこともある。宿屋は、いつ隊商が入ってきても食事と水と休息を提供できるよう、一日中、夜も昼も開けていなければならなかった。

茶商たちの多くはタイ族で、彼らはあたり一帯の少数民族から茶を買い集め、この茶馬古道を使って交易に精を出していた。

まだ小さいときに変わってしまったのであまり記憶にないが、この村も茶馬古道が使われていた頃はとても賑わっていて、自分もこの宿の仕事を一生続けるものだと思っていたと、李さんは言う。それが自分の代で終わってしまうとは……。

李さんは同じ村の女性と結婚した。子供たちは国道まで一時間ほど歩き、そこからバスに乗って町に仕事に出かけている。

ガラスのコップにいれてくれた普洱緑茶が、ゆっくり開いて黄緑色の葉になっている。川の水でいれたお茶をゆっくりすると、ちょっとカビくさいが、ほんのりと甘く、とろっとした風味があった。今年の新茶を出してくれたのだ。この村でも、当地の人が飲んでいるのは、やはり緑茶なのだった。

★チベットの黒茶

最初の茶馬古道は、今から一〇〇〇年以上も前に作られはじめた。紀元前五世紀頃にインドで生まれた仏教が各地に広がり、北はチベット、西はミャンマーや雲南、やがては中国の中原へ到達したとき、仏教の教えも伝わるにつれてさまざまに変容し、各地に聖地ができた。チベット高原の東南のふもとにあたる大理《ダーリー》に、信仰を集める仏教山ができると、チベット人たちは迪慶《ディーチン》・麗江《リージアン》を通って、そこに巡礼をするようになる。おそらくそこで、チベット人は茶を知ったのであろう。そして道すがら、雲南の茶を買って帰るようになったのが、雲南とチベットの茶の交易の始まりであった。

チベット人の食生活は、バターをはじめとした乳製品と干し肉が主なものであったが、食後に茶を飲むと、脂肪をすっきり流して消化を助けることを知り、茶はやがて必需品として知れ渡ったのだ。

そこで雲南の茶商たちは、チベットへの輸出用に大量の茶を普洱《プーアール》に集めた。そして運びやすくするために茶葉を固めた形に作り、馬の背に積み、隊商を組んで出かけていく。この輸出のために何十年、何百年とかけて、少しずつ石を敷き詰めた道を延ばしていったのだ。この茶馬古道は、普洱から北へはチベット、南へはラオス・ベトナム・タイへと向かい、西へはミャンマー・インドへも延びている。

日本では普洱《プーアール》茶といえば、茶葉は墨のように黒く、時には丸や四角の固形に固められていて、飲むときは何ともいえないカビ臭い風味がするものを指すが、これは普洱の中でも黒茶と呼ばれるもので、膨大な種類の普洱茶の中のほんの一種類なのだ。

普洱茶は緑茶が七〇パーセントを占め、残りの三〇パーセントの中で青茶や黒茶が作られている。ここ普洱でも当地の人々が飲んでいるのはやはり緑茶で、ホテルやレストランのどこへ行っても、出されるのは緑茶ばかりだった。

黒茶は、一九九九年に昆明で世界園芸博覧会が開かれた時に、普洱茶の中でも特殊な変わった茶として日本にも紹介され、減肥茶として流行した。茶葉は見た目にも古そうで、いかにも年代物という風である。このような変わった茶が、一体どうやって生まれたのだろうか。

前章で見たように製茶方法にはいろいろあるが、いずれも生葉を乾燥させ、揉み、発酵させるものはさせ、最後に再び乾燥させて完成する。しかし黒茶は、生葉をよく揉んで、葉汁で酸化発酵させるまでは紅茶と同じだが、そこでさらに水をかけ、布などで覆いをして麴菌を発生させ、その菌による発酵をさせるのだ。独特の匂いはここで生まれる。

青茶や紅茶の発酵、そして黒茶の第一回目の発酵は、葉汁による酸化発酵で、これはリンゴをむいて長時間置いておくと茶色くなるのと同じタイプの発酵である。ところが黒茶の第二回目の発酵は麴菌によるもので、味噌や醬油、酒などと同じタイプの発酵である。より強烈な匂いになるのもうなずけよう。

黒茶――新鮮な緑茶を飲んでいる生産地の人は飲まない、カビた茶。そう思うと、桐木村《トンムー》のラプサンスーチョンのことが連想され、私の想像はまたふくらんでゆく。

雲南の茶畑で摘まれた茶は、亜熱帯の気候の中を、馬の背に何日もゆられて普洱の集積所へ向かう。ここはまた中国の中でも最も雨が多く、六月から十二月初旬まではずっと雨が降る。那桐里《ナスリ》村の李さんの話にもあったように、馬も茶も何度も濡れてしまったはずだ。

茶は、濡れてしまったら価値がなくなる。しかし茶商人はそれを広げて干し、何日もかけて乾かして売ったであろう。その間に麹菌も生えたであろう。その茶にはもう緑茶の味も香りもないだろうが、普洱の商人はこれを、新鮮な緑茶を知らない外国人に売ったであろう。ラプサンスーチョンの時と同じように、多少の虚偽を通して儲けたのではなかったか。

ところが面白いことに、チベット人がこれを試してみると、味や香りが変わっていても体に害はなく、そればかりか不思議なことにバターやミルクとよく合い、さらに食後をさっぱりさせるものとなっていた……。

★黒茶の秘密

黒茶の普及についてそんな空想をするのは、ゆえのないことではない。

現在、黒茶を作っている殆どすべての工場では、麹菌を付ける工程に関しては極秘であり、外部者には教えていない。だが二〇〇四年に再び西双版納を訪れたとき、私は偶然その現場を見ることができた。それは決して、衛生的な工場で管理された方法で作られているものではなかった。日本でいえば、古くから伝わる蔵造りの味噌や醤油の作り方に似ている。

食は不思議である。工場で衛生的に合理的に作ったものだけがおいしいわけではない。人の手や自然の力が加わったものの方が、味があったりする。新鮮なものはもちろんおいしいが、

普洱黒茶の麹菌発酵

腐ったりカビたりした発酵食品も、独特の風味と栄養が生まれておいしくなる。それで新鮮な緑茶を飲む人々には分かりにくい、黒茶への嗜好も生まれたのだろう。

だから黒茶が生まれた時も、自然の偶然――雲南の気候と、茶を運ぶ道のり――と、茶商人の工作がかかわっていたに違いない、と思う。

そしてさらに私の興味を引くのは、黒茶の製茶過程は、途中までは紅茶と全く同じだということだ。千年の歴史がある茶馬古道で、紅茶をさらに麹発酵させた黒茶が生まれたということは、ここ雲南で、紅茶が何百年も前から作られていた可能性をも示しているのではないか。

雲南省の南部地区は、第二次世界大戦後も中国とミャンマーとの国境が定まらず、両国の紛争がいくどとなく繰り返される危険地帯だった。そのため茶に限らず、あらゆる面で現地調査が不可能で、思茅の茶と茶馬古道の研究もあまり進んでいない。紅茶と黒茶の歴史を知るためにも、今後の調査の発展が待たれるところである。

〈第六章　イギリス人、紅茶を飲み続ける〉

★茶の有害論

イギリスで紅茶が普及し始めると、新しいものをめぐって賛否両論の議論が沸き起こった。紅茶がヨーロッパに持ち込まれたとき、単なる嗜好品ではなく、東洋の神秘の薬として崇められたことはこれまでに見てきたが、茶の効用をめぐっては、それまでにも各国で多くの論争がなされている。

初めて茶の効用について言及したのはオランダの医師ニコラス・ディルクスで、一六四一年に出版した医学書の中で、茶があらゆる病気に万能薬として効用がある、と誇大表現をしている。この中には結砂や胆石、痛風の治療にもいいと記されていた。

イギリスより先にオランダから茶が持ち込まれていたフランスでも、神父のアレキサンドル・デ・ロード（一五九一―一六六〇）が、一六五三年に書いた『トンキン旅行記』という本の中で、茶が胃痛病に効き、そのうえ力も与えてくれるものだと述べている（『紅茶の文化史』

春山行夫）。

また一六五七年に外科医の息子のピエール・クレイシーが茶の効果を賞賛する論文を出すと、これも医師のギイ・パタンが激しく非難し、反対論を起こして、賛否両論が拮抗した。だがその後、クレイシーが痛風に対する茶の効用の研究を発表すると、多数の賛同者が現れ、議論の勝者となった。

一七四四年にはアイルランド教会の司教ジョージ・バークレイが「紅茶はとても穏やかで、人に優しく作用するものであり、気分を陽気にしてくれるが、酒のように酔っぱらうことはない。紅茶はキリスト教徒が飲むものに適している」と宣言した。

しかし同年、イギリスのフォーブス卿がこれに反論した。茶が国民的飲料となる前には、エールやビールが一番飲まれていたので、茶の普及に押されたエール・ビール党の反発が起こったのは必然だった。

フォーブス卿は「茶は食事には不必要なものであり、高価で、時間の浪費になるばかりか、人々を柔弱にしてしまう」と非難した。そして男は茶よりもビールを飲む方が、男性的魅力を高めると主張する。

下層階級の人たちにとっては茶は高価な贅沢品だったので、この贅沢に日々浸っている上流階級の人々は、労働もせずただ茶を飲用しているうちに、体格が華奢になって不健康になると言われたが、これは労働者の目を贅沢品からそらすためのものでもあった。

一七三〇年、スコットランドの医師、トーマス・ショート博士は、人々が茶の効用に対して幻想的な信頼をよせているのに危惧を抱き、茶は人を憂鬱症やその他多くの不快な症状にさせる有害なものであると発表した。

このように茶の有害論や反対論が盛んな中、ジョン・コークレイ・レットサム（一七四四〜一八一五）という医師が、『茶の博物誌』（一七七二年）という本の中で、次のような意見を述べている（『茶の博物誌』ジョン・コークレイ・レットサム著・滝口明子訳）。

「喫茶の習慣は一般的なものとなってきているので、自分自身の健康に関する限りは、全ての人が茶の作用の判定者であると考えてよい。しかし人間の体質というのはさまざまで、この飲み物の効果も人によって異なるはずであり、それゆえ茶の作用に関しても実に多様な意見が流布してきたのである。

茶に対してひとたび偏見を抱いた人は、それによって余りにも判断を歪《ゆが》められ、この習慣そのものを普遍的に悪いものと決めつけてしまう。また別の人は、これと反対の極で、自分の個人的な経験を全ての人の基準と考えて、ありとあらゆる薬効をこの飲み物が持っているように言いたがる。この諸説の矛盾対立は、特に医師たちの間で続いてきており、公平な立場で報告された実験と事実の代りに、単なる憶測ばかりが幅を利かせているかぎり、事態は決して変ることはないだろう」

レットサムは緑茶とボーヒーを使って牛肉の腐敗テストをしたり、カエルを使って茶の鎮静作用や弛緩作用を調べたり、茶の芳香が睡眠や人を酔わせるのに効果があるかなどを実験して、憶測ではなく、科学的な茶の効用を研究している。

茶の反対論には、その効用についてのものだけでなく、ピューリタン的な禁欲主義や、経済的な面からのものもあった。すなわち茶が高価で万人の飲み物にならないこと、ゆえに不平等な贅沢品であること、茶を飲む金があるのなら貧民の慈善に使うべきだという主旨のものである。

やがて、茶がより多くの人々に普及すると共に、酒よりも健康的な飲み物であるとの肯定論が多勢を占めるようになった。ことに一七八八年頃、茶の年間輸入量が一〇〇〇万ポンド（約四五四〇トン）を超える頃になると、酒代より茶の方が安くなったので、経済的・階級的な反対論はされなくなり、大衆にとって、健全な身体と健全な家庭生活のためには紅茶は不可欠のものと考えられるようになっていったのである。

★十八世紀のイギリス紅茶とトワイニング

第一章と第三章で見た通り、十七世紀にイギリスのコーヒーハウスで初めて茶が売り出されて以降、宮廷をはじめとして人々の間に茶が普及し、やがて中国から直接に茶を買い付けるようになり、福建省の発酵茶（紅茶）を知るにおよんで、十八世紀にはますますその需要は増えていった。当時の様子を知る格好の資料として、トワイニングの歴史がある。

初代のトーマス・トワイニングは一六七五年、イングランド西部のグロスター・ペインスウィックという所に生まれた。彼の父は毛織物の職工だったが、一六八四年、不況のため一家はロンドンに移住した。

トーマスははじめ職工として工場に年季奉公に出たが、ロンドンの自由市民権を得ると、一七〇一年には東インド会社の商人のもとで働き始め、一七〇六年「トムのコーヒーハウス」をロンドンのストランドに開店した。ここは貴族や上流階級の人たち、学生、弁護士、教区の聖職者や検事まで、さまざまな人士の集まる地域だった。

トムの店は繁盛し、一七一七年には店を拡張するまでになる。当時の店の台帳の一部が今も残っていて、それには店で扱った品物や客が細かく記されている。

たとえば一七一五〜二〇年の台帳に記されている顧客は約三五〇名で、教会、ホテル経営者、貴族、地主、法律家などがいる。

一七二九年の台帳には、顧客リストに九〇〇人以上の名が記され、取り引き商品も細かく記載されている。主に茶とコーヒーで、その他ワイン、リキュール、セイロンのヤシ油、炭酸水、オレンジ、レモン、クリーム、バター、砂糖、タバコ、蠟燭など多種にわたっていた。

一七四二〜五八年になると、顧客の数は一四四六人に増え、貴族、牧師、医者、法律家の他、議員もいる。取り引きでは茶の需要が特に伸びていることが目につく。

一七四一年にトーマスが他界すると、息子のダニエルが店を継いだ。茶の需要は増え続け、東インド会社による茶の輸入量も増加を続けたが、これに目をつけたイギリス政府は茶の税金を引き上げる。すると税金を払わずに流通する密輸品が、オランダから大量に流れ込み、茶をあつかう店にはつぶれるところも出てきた。

トワイニングの二代目のダニエルが一七六二年に四十九歳で他界すると、その息子リチャードがあとをつぐ。しかし政府の課税率は年々引き上げられ、茶商は窮地に追い込まれた。


イギリスでは、早くも一六六〇年に茶が課税対象になっていた。チャールズ二世は、ロンドン市内に急増していたコーヒーハウスで飲まれていたカップ売りの紅茶に消費税をかけている。それ以来、イギリスでは一九六四年に課税制度が変わるまでの三〇〇年間にわたって、紅茶に対する税が、何度も改定されながらも存在し続けた。

政府が税を上げるのは、戦争などによって支出が増えるときである。たとえば一六九五年に増税されたのは、一六九〇年から続いていたアイルランドとの戦争の費用をまかなうためである。それで税金は何度となく引き上げられ、関税のがれの密輸品の横行に拍車をかけた。

一七六六年に広東港から各国に輸出された茶は、イギリスに六〇〇万ポンド（約二七二四トン）のほか、オランダに四五〇万ポンド、スウェーデンに二四〇万ポンド、フランスに二一〇万ポンドなどとなっているが、イギリス以外の国が買い付けた茶の半分近い量は、そこからイギリスに密輸品として持ち込まれていたという（『茶の世界史』角山栄）。

こうなると紅茶の密造業者も現れ、偽の紅茶も出回るようになる。彼らは密輸品の中国茶にリンボク（バラ科の常緑樹）の葉、カンゾウ、そして一度使われた出がらしの茶葉を貧しい人たちに集めさせ乾燥させたものなどを混ぜて、粗悪なまがい物を作っていた。

一七八四年、三代目リチャード・トワイニングが、世間に公正な茶を見直すように、悪徳業者の手口を暴露した一文の中にも、

「トネリコ（モクセイ科の落葉樹）の葉を天日で乾燥させ、さらに火で少し焼いた後、床に並べる。それから足で踏んで細かく砕く。それらの葉を集め、羊の糞を水で溶かした樽に浸した後、また床に干して乾燥させて仕上げる」

というひどい偽物が記されている。

ここまでひどい偽物でなくとも、一八六九年のスエズ運河開通以前は、中国から運ばれる茶は、帆船が喜望峰を回ってほぼ半年以上もかけて風雨とたたかいながら来るものだったので、

途中で変質・劣化することが多かった。そこで茶商は変質してしまった茶に上質な茶を混ぜて、品質を保とうとした。これが今日も伝統として残っている、イギリスの紅茶のブレンド技術なのである。

トワイニングは上流階級の人を顧客にし、品質が保障された茶を売っていたので、高価でも人気があったが、庶民の大量消費の勢いを取り込むことはかなわなかった。しかも増税はとどまるところを知らなかった。

この間、東インド会社は茶を平均一ポンドにつき四シリング六ペンスで売っていたが、それが税金の引き上げによって七シリング六ペンスにまではね上がっている。

この時、三代目のリチャード・トワイニングは、政府に茶税の引き下げを申し入れた。「税金を高くすれば、密輸品が増え正規の取り引きが減るので、結局税収も減る。それよりも、税を下げれば正規のルートの商売が成り立つので、税金は流通量分がきちんと入る」と。

この申し入れは時の首相のウィリアム・ピットに受け入れられ、一七八四年、減税が実現した。これによって、一七六八年には五八九万ポンド（約二六七四トン）だった年間消費量（正規ルート）が、一七八五年には一〇八五万ポンド（約四九二六トン）にはね上がり、税収入も六万ポンド以上になったのだ。

税金が引き下げられ価格差がなくなると、粗悪な密輸品は姿を消した。東インド会社は、増

〈1783年までのイギリスの紅茶輸入量と税率〉

(年)	1年あたりの輸入量 (ポンド)	税金
1750–59	320万 (約1453トン)	売上の44％＋1ポンドにつき 1シリング
1760–69	550万 (約2497トン)	売上の49％＋1ポンドにつき 1シリング
1769–83	580万 (約2633トン)	売上の50％＋1ポンドにつき 1シリング1ペニー

大する茶の需要に応えるため、新たに四五隻の大型船を新造し、三四五〇名の船員を雇用した。

一八〇九年、リチャードはインペリアル保険会社の会長に就任、一八一〇年には東インド会社の理事に推薦される。世を去ったのは一八二四年。

それ以前、一八一八年には四代目のリチャード二世が経営を引き継ぎ、ヴィクトリア女王即位の一八三七年、トワイニング家に王室御用達の許可証が与えられた。

やがて時代はアヘン戦争による茶貿易の自由化、スエズ運河の開通とインド・セイロンでの茶栽培など、新たな展開を見せるが、トワイニングはこれらを乗り切って発展を続け、現在の一〇代目スティーブン・トワイニングに到っている。

★十八世紀の茶戦争——ボストンティーパーティー

先に見たトワイニングの台帳の一七四九年のページには、イギリス海外の顧客の名前が見られる。バルバドス（カリブ海東端の島国）のジョン・バートン氏、イタリアのリヴォルの領事、リスボンのジョン・ルッセン氏、ボストン知事で後にマサチューセッツの知事となったウィリアム・シャーレ氏……。

また一七六〇年八月二十九日のカナダの将校の日記にも、

「ロンドンのトワイニングという名の紅茶店で、新しい飲み物を売っている。この店はロンドンのストランドにある。ボストンでこの船荷を手に入れることができる」

とあり（『トワイニング史』）、新大陸でも茶が飲まれていたことがうかがえる。

イギリス人の海外進出とともに、紅茶も世界各地に運ばれ、飲まれるようになったが、三代目リチャード・トワイニングが苦闘した茶の税金が、アメリカでは独立戦争にまでつながる事件に発展したのはよく知られている通りである。

さかのぼってみると、新大陸で茶を飲みはじめたのはオランダ系の移民で、ニューアムステルダムが中心地だったが、一六六四年にイギリスがこの地をオランダから奪い、ニューヨークと改名した頃には、紅茶は上級階級に普及し、根付いた飲み物となっていた。

第一章と第三章で見たように、イギリスがオランダからの茶の買い付けを禁止し、イギリス商人が直接中国の港で茶を買うようになったのがまさにこの頃である。茶貿易だけでなく、オランダの海上権が衰えて、イギリスに海と植民地の覇権をとって代わられはじめた時代だったのだ。

一六九〇年にはロンドンからやってきたベンジャミン・ハリスがボストンの街で「ロンドンコーヒー・茶・ココア」の店を開き、喫茶の流行に拍車をかける。

十八世紀に入ると、茶は一般的な民衆の飲み物となり、銀器や陶磁器の喫茶用具も、イギリスから大量に運ばれた。

だが十八世紀後半、イギリス本国と同様に、植民地アメリカでも、人々は茶の高い税金に悩むようになる。当時、広東では茶の貿易が拡大していたが、イギリスの東インド会社は苦戦していた。イギリスの茶税が高いため、イギリス東インド会社の茶は値段が高い。そこでイギリスとアメリカでは、人々は、オランダをはじめ他の大陸諸国が広東で仕入れた茶を「密輸品」として安く買うようになっていた。このため、イギリス東インド会社の茶は売れず、広東での買い付け量も、他国の買い付け量の合計より低かったのである。

アメリカは茶の大きな消費国だったため、イギリス東インド会社の茶が売れないのは大打撃であった。

この頃、茶だけではなく、政治的にも経済的にも、イギリスは植民地アメリカに対する圧迫を強めていた。一七六七年、イギリスの蔵相タウンゼンドの提案によって、植民地を規制する法律であるタウンゼンド条令が出される。これはニューヨーク植民地議会の権利を停止させ、ガラス・鉛・ペンキ・茶などに課税するというもので、植民地の強力な反対によって一七七〇年には撤廃されたが、茶税だけは残されたのである。

そのためアメリカでのイギリス茶の売り上げは低下する一方で、イギリス東インド会社は売れない茶を一七〇〇万ポンドもかかえて経済的な危機に追い込まれる。

一七七三年、イギリス議会は東インド会社を救済しようと「茶条令」を出した。これは、北アメリカ植民地に茶を売るときは、本国輸入時の関税を全額東インド会社に払い戻し、さらにアメリカでは独占的な販売権を与えて、オランダからの密輸茶をしめ出そうというものである。

アメリカではこれに対して強力な反対運動が起こった。茶条令が出された一七七三年の十二月、アメリカの人民集会の反対を無視して、茶を積んだ東インド会社の船が三隻、ボストン港に入港すると、サミュエル・アダムズ率いる五〇人あまりの住民は、ネイティブ・アメリカンに変装して船に乗り込み、三四二箱、一万五〇〇〇ポンドとも一万八〇〇〇ポンドともいわれる量の茶を海中に投げ捨てたのである。これが有名なボストンティーパーティー事件だ。

イギリス議会はマサチューセッツ議会にこの弁償を求め、ボストン港封鎖法をはじめさらに圧迫を強める諸法を制定し、ボストンに軍隊を駐留させるが、植民地側は一七七四年に大陸会議を開いて英国に対立し、それは一七七五年の独立戦争に発展した。

一七七六年七月四日にアメリカが独立宣言をしたことは有名だが、イギリス本国ではその後も茶への重税が続き、一七八四年にいたってようやく減税されたのは、前項のトワイニングのところで見たとおりである。

独立戦争以降のアメリカでは、紅茶はイギリスの圧政と束縛の象徴とされ、人々はコーヒーを飲むようになっていたが、ここに面白い逸話がある。

イギリス本国で茶の減税を進言した三代目リチャード・トワイニングの息子、トーマス・トワイニング（初代トーマスの曾孫に当たる）は、アメリカ初代大統領のジョージ・ワシントンに面会したことがあった。一七九六年、ワシントンの家を訪問したトーマスは、その家の様子やワシントンの人柄に感銘を受け、日記に書いた。

そして面談の後、退出しようとしたトーマスに、ワシントンは今晩茶を共にしようと誘った。残念なことにトーマスは他に約束があり、これを辞退してしまったのだが、ワシントンに面談できたことと、彼に茶に誘われたことを、栄誉として記している。

かつて茶税をかけたことから戦争になり、イギリスから独立したアメリカの大統領が、イギリス屈指の茶商と茶を共にしていたら、どんな会話がされていただろうか。

★十九世紀の茶戦争――アヘン戦争

トワイニングの歴史が語るように、十八世紀には、茶はイギリス人にとって生活に必須の国民的飲料となっていた。

だがイギリスの気候では茶は育たない。十九世紀前半までは、茶は中国から買う以外、手に入れることはできないものだった。

十八世紀後年の清朝最盛期までは、中国がイギリスから買わなければならないものは少なく、貿易は常に茶を大量に買うイギリスの赤字であった。一七九三年、イギリス国王ジョージ三世が、清の乾隆帝に貿易港を増やすことを要求したときも、一七五七年以来の、海外貿易港を広東のみに限る政策は変えられることはなかった。

イギリスが茶の代金として払う銀の量はやがて国家財政をゆるがすほどになり、その対処法としてとられたのが、イギリスの植民地インドから清にアヘンを輸出するという方法である。

アヘンはもともとインドのベンガル地方で栽培されていたもので、十六世紀に興ったムガール帝国はアヘンの専売制度をしいていたが、同じ頃インドに侵出してきたポルトガルがこれを知り、十七世紀にはインドやアラビアの商人を追放して専売権を手にした。十八世紀にはポルトガルに変わってイギリスがインドを植民地支配するようになり、一七七三年、イギリス東インド会社がアヘンの専売権を握った。

アヘンはケシの実から作る麻薬で、常飲すると中毒になり、心身ともに冒されてしまう。中国にも古くからアヘンはあったが、薬として、液体にしたものを飲むというものだった。ところがイギリスが持ち込んだアヘンの使い方は、タバコのように吸引するもので、扱いやすく、嗜好品として庶民の間に急激に広まっていく。

一八〇〇年には清朝政府がアヘンの輸入・吸引・栽培を禁止したが、その法令は徹底せず、密輸入は年々増大し、一八二七年を境に、イギリスに代わって清が銀の莫大な流出に悩むことになる。

一八三九年、林則徐がアヘン禁絶の命を受け、広州でイギリス商人のアヘンを没収し焼却したが、それを不服としたイギリス側と戦闘が始まる。一八四〇年にはイギリス海軍の艦隊が広州に到着し、以後清朝政府との衝突・折衝を繰り返しながら、広州、澳門《マカオ》、廈門《アモイ》、寧波《ニンポー》、上海の諸都市を次々に攻略し、南京に迫る。そして一八四二年八月、南京条約が締結され、アヘン戦争は終結した。

南京条約でイギリスは香港を獲得し、広州、廈門、福州、寧波、上海の五港を開港させたほか、イギリスに有利なさまざまな条例を通し、中国への経済支配力を強めた。だが一八四四年にはアメリカとフランスがそれぞれ同じような通商条約を清と結んだため、イギリスの独占的貿易は二年間しか続かず、紅茶貿易は欧米の自由競争の舞台となったのである。

★十九世紀の英国紅茶文化——ティークリッパー

イギリス東インド会社は一六〇〇年の創立以来、約二世紀半にわたって中国茶輸入の独占権を与えられてきたが、一八三三年に貿易は自由化され、その特権を失った。さらに一八四四年の清と各国との通商条約締結、一八四九年の航海法撤廃によって自由競争に拍車がかかると、多数の商社やブローカー、小売商人が、リバプール、グラスゴー、ブリストルなどのイギリスの主要港で茶貿易を開始し、清が開港した五つの港をめざした。

東インド会社の独占時代には競争などなかったので、イギリスの船はマイペースで荷を運んでいた。だが貿易が自由化されると、清からイギリスまでの運送期間をどれだけ短くできるかが、競争の争点となる。まだ帆船の時代だったが、速い船なら運送時間が短く、運ばれた茶はより新鮮である。そこで速い船の積荷は高値がつき、その船の船長や船員には賞金が出た。

ところが当時のイギリス船は大砲を装備した元東インド会社の船で、胴が太く鈍重だったので、アメリカが開発した新型船には追いつけるものではなかった。そこで一八四一年頃からイギリスでも、スピードが優先される快速船の建造が始まった。鉄のフレームに木の外板を張った、細い流線型の船体に、高い三本のマスト、合計すると二〇〇〇平方ヤード（約一六二〇平方メートル）以上の帆を装備したこの快速船は「ティークリッパー」と呼ばれた。

一八五〇年十二月、アメリカのオリエンタル号が香港を出港して、九五日という記録的スピードでロンドンに到着すると、その積荷の茶は、イギリス船の茶の二倍の値で買い取られた。船主は建造費の三分の二にあたる運送料を要求したが、それも支払われた。

東インド会社の茶の輸送船の荷上げ風景

対抗したイギリスは、一八五三年にイギリス人が設計したケアンゴーム号を建造する。この船は後にアメリカとの競争に勝って名を挙げた。

この頃イギリスでは毎年新茶が出回る時期に、それを一番に運ぶティーレースが始まった。一位で到着した船の茶は、競売所で一ポンドにつき六ペンスの賞金が支払われた。レースに参加した船は、喜望峰を回って大西洋に入り、アゾレス諸島を経て、英仏海峡に向かう。陸では海事新聞で船の位置を刻々と知らせ、人々はこの船のダービーに金を賭けて楽しんだ。

中でも一八六六年五月のレースは歴史に残る最大のものだった。競争したのは一八六四年に進水したアリエル号と、一八六三年に進水したテーピン号、サーモピリー号、セリカ号、ブラック・アメー号などの一一隻。どの船にも優秀な船長と熟

テムズ河畔でティーレースを見物する人々（19世紀のイラストより）

練の船員が乗り、嵐のインド洋を抜け、風を選び、喜望峰に入った。九月六日の朝、テムズ河口の港で待機していた人々の前に現れたのは、アリエル号だった。湧き上がる歓声の中、一〇分後にはテーピン号が、数時間後にはセリカ号が続いた。

だが、これが最後のティーレースとなった。この頃から海上には蒸気船が出現し、帆船の時代は終わりをつげようとしていた。一八六九年には蒸気船だけが通れるスエズ運河が開通し、ティークリッパーは蒸気船に海上運送の主役をゆずることになる。イギリス人が夢をかけて造った最新型のクリッパー「カティーサーク号」が進水したのは一八六九年十一月二十二日、スエズ運河開通より遅れること五日、中国から荷を運ぶ帆船が活躍するには、時すでに遅かった

紅茶の広告。茶を運ぶ小人には、イギリス人と中国人がいる

のである。

★アールグレイ紅茶を作らせたグレイ伯爵

茶の輸入拡大による清へのアヘン輸出、アヘン戦争による貿易の自由化、そして国際的な貿易・輸送の競争――イギリスで紅茶が普及し、大量の需要が世界情勢を動かすようになった時代、一方ではイギリスの茶の文化が花開いていった。

イギリスには紅茶を売って有名になった人と、紅茶を飲んで有名になった人がいる、といわれる。本書の冒頭に登場したアンナ・マリアと同時に、ここに登場するグレイ伯爵も後者の一人である。アンナ・マリアによって始められたアフタヌーン・ティーの習慣が、上流階級に広まり定着していった時代、イギリスでは新たな紅茶も生まれていた。

チャールズ・グレイ、二代目グレイ伯爵（一七六四〜一八四五）は、イートン校からケンブリッジ大学に進み、一七八六年、二十二歳の若さで下院議員になった。ほどなくホイッグ党の指導者となり、新興の商工階級の利害を代表して議会改革、選挙法改正を主張し、時の国王ジョージ三世と、当時のウィリアム・ピット内閣の政策に反対の立場をとるようになる。海軍大臣や外務大臣を歴任した後、一八三〇年にはそれまで野党だったホイッグ党の内閣を誕生させ、首相になり、新時代に対応した工業労働法、都市自治体法、貧民救済法の改正、奴隷使用禁止法などの新法を次々と成立させた人物だ。興味深いのは、茶の愛飲家として名を残しているグレイ伯爵が、茶の減税を実行したウィリアム・ピットと同時代人だったことだ。伯爵は政治的にはピットと対立していたが、茶に関しては、茶税を引き下げたピットの恩恵を受けていたとも言えるかもしれない。

グレイ伯爵が海軍大臣を勤めていた一八〇六年、中国に派遣されていた使節団が、武夷山の紅茶を土産として彼に送ってきた。第二章で見た、桐木村《トンムー》の正山小種《チエンシヤンシヤオチヨン》である。グレイ伯爵はこの正山小種を気に入り、これをもっと飲みたいとロンドンの茶商人に注文した。

当時、正山小種茶は生産量が少なく、手に入れるのが難しかったため、茶商はそれに替わるものとして、今に残る「アールグレイ紅茶」（アールは伯爵という意味）を作ったのだが、それがどこの店だったかは長らく不明だった。だが近年になって九代目サム・トワイニング氏が、トワイニングこそがアールグレイ紅茶を作ったとして次のような発表をした。

「（トワイニングの四代目）リチャード二世の時代、正山小種紅茶の煙の香りは、今のラプサンスーチョンほど強くはなかっただろう。それで煙の香りより、正山小種茶のもう一つの特長である龍眼の香りに注目し、彼が思いついたのが、当時シチリア島で栽培され、フランスではキャンディーやケーキにも使われていたベルガモットだった」

ベルガモットは、レモンに似た柑橘類の一種で、さわやかで強い香りがする。中国の龍眼を知らなかったリチャードは、南国のフルーツをイメージして、このベルガモットの香りを、正山小種ではない茶につけ、着香茶を作ったのだ。

トワイニング社では、アールグレイ紅茶発明の証しとして、九代目サム・トワイニング氏と六代目グレイ伯爵が一緒に写った写真を挙げ、自社のアールグレイの紅茶缶に、次のようなグレイ伯爵のメッセージを載せている。

「トワイニング社は、長年にわたり、我が家系に紅茶を作ってくれました。その中には伝統的なものもあり、私の祖先の二代目グレイ伯爵が、中国の使節団が持ち帰った優美な香りのお茶を気に入ったことから作られたものもあります。それはアールグレイティーとしてずっと楽しまれてきました。

今日、私はその紅茶が世界中で有名になり、その伝統とともに広く知られていることを光栄に思います。　六代目アールグレイ」

ここで第三章の発酵茶の話を振り返ってみると、面白いことに気づく。かつて福建省武夷山の桐木村でわずかに作られていた発酵茶の「正山小種」をイギリス人が好み、大量の需要にこたえるため、代わりに武夷山以外の山の茶葉を強烈に燻製した「ラプサンスーチョン」が作られたのだったが、同じく本物の「正山小種」を手に入れられなかったトワイニングは、着香という別の方法で新しい茶を作ったのだ。つまり、「ラプサンスーチョン」と「アールグレイ」は、どちらも「正山小種」に憧れたイギリス人が、その代替品として、別々のルートで作り出した茶なのである。

ここでもう一つ興味深い現象が起きた。それはイギリスの高級食料品店・フォートナム＆メイソンの作るアールグレイ紅茶である。

紅茶好きの人の間では、「フォートナム＆メイソンのアールグレイは、他の店のと違って、変わった香りがする」ことはつとに知られている。実はこの店のアールグレイは、強烈な燻煙香のするラプサンスーチョンに、ベルガモットで着香したものなのだ。多くの日本人にはなじみにくい、強い香りである。

フォートナム&メイソンの創業は一七〇七年、時のアン女王（在位一七〇二～一四）に仕えたウィリアム・フォートナムが、ピカデリー街に食品雑貨店を開いたのが始まりである。二代目のチャールズ・フォートナムの時代に茶を扱うようになり、東インド会社が輸入する緑茶やボーヒー茶を主に売っていた。

十九世紀初頭にトワイニングはアールグレイ紅茶を発明したが、商標を登録しなかったので、他のどこの店でもベルガモットの香りの茶を「アールグレイ」として売ることができた。そこでフォートナム&メイソンもアールグレイを作ることにしたのだが、そのとき作り手の念頭にあったのは「正山小種」だった。

おそらく彼らは、ラプサンスーチョンが本物の正山小種にもっとも近いという理論から、アールグレイの材料としては、ラプサンスーチョンの茶葉が「歴史的に最も由緒正しい」と信じ込んで、そこにさらにベルガモット・オイルを加えたのであろう。トワイニングや他の店ではアールグレイを作るのに、ラプサンスーチョンではなく、福建産ではあっても武夷山ではない山の、大量に入手できる紅茶（ボーヒー）を使う。これには燻煙の香りはしないので、飲むときはベルガモットのさわやかな香りだけが楽しめる。

ところがフォートナム&メイソンでは、ラプサンスーチョンにベルガモットを加え、燻煙香と柑橘香が入り混じった、紅茶の中でも最も奇妙な香りのものを作り出したのだ。

イギリス人にとって、東洋の悠久の歴史と神秘を象徴するのが武夷山の茶だった。彼らがいかにそれに憧れ、そのまぼろしを追ってさまざまなものを作り出したかを、フォートナム＆メイソンのアールグレイは示している。

〈第七章　イギリス人、紅茶を作る〉

★アッサム茶を知る

十九世紀、イギリスで紅茶を飲む習慣は庶民にまで広がり、紅茶の需要は中国から買うだけでは追いつかなくなっていた。すでにインド・ジャワ・セイロンなど熱帯のアジア諸国を支配していたイギリスは、これら植民地で茶の栽培ができないものかと考えはじめていた。

一八二三年、一人のイギリスの海軍少佐が、インドのアッサムの東部、ビルマ（現ミャンマー）との国境に近いランプール（現在のシブサガル）で、ジュンポー族の族長・ビーサガムと出会い、彼の案内で、現地に茶の木が生えていることを知った。少佐の名前はロバート・ブルースといった。

その時は苗木も種も持ち帰れなかったが、ロバートはその発見の知らせを、弟のチャールズ・アレキサンダー・ブルースに伝えた。翌年、第一次イギリス・ビルマ戦争が起こり、兄と同じく軍人だったチャールズもランプールに派遣される。一八二五年、チャールズはついにビーサガムから茶の苗木と種を手に入れた。

ブルース兄弟はスコットランド出身で、二人とも十代の若さでインドに渡り、イギリス東インド会社の小売り商人として働いていた。当時、ビルマがアッサムに侵略しようとして、ビルマとアッサムの国境地帯では戦争になっていた。アッサムはイギリスの植民地だったため、戦いはビルマとイギリスの間のものとなった。これがイギリス・ビルマ戦争である。

ブルースはカルカッタから小火器や弾薬を戦地に供給する仕事をしていたが、やがて自ら軍を率いて戦う軍人になったのである。弟のチャールズも東インド会社の海軍に入隊して、同じくビルマとの戦いに参加した。

兄弟が赴いたランプールは、第四章で見たように、タイ族をルーツとするさまざまな少数民族が、ビルマから侵入してきた地域である。中国の長江流域から東南アジアの山中にかけて住んでいたタイ族の一派がドアン族として雲南地方に分離し、さらにそこから現在のミャンマー近辺に移った人々はシャン族と呼ばれ、アッサム地方に移動した人々はジュンポー族と呼ばれるようになった。

茶の木は、雲南省からアッサムまで、長い年月をかけて、少数民族の移動とともに運ばれて、ここにたどりついたのであろう。

一八二五年、チャールズはジュンポー族のビーサガムから受け取った茶の苗木と種を、アッ

〈アッサム略図〉

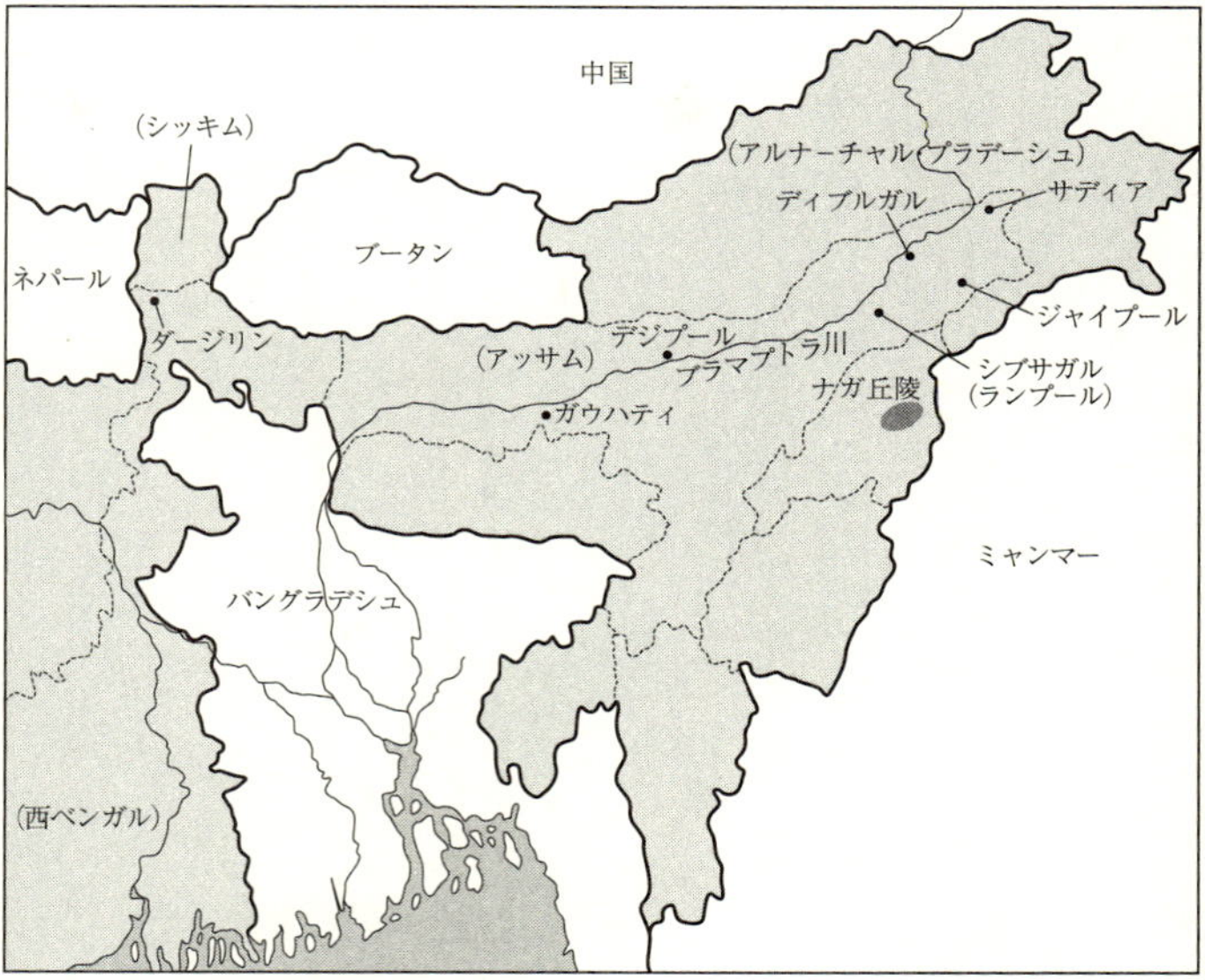

サムの弁務官だったデービッド・スコット大佐に送った。スコット大佐はそれを、アッサムのガウハティにあった自宅と、サディアの別宅の庭に植えた。後日、それらは見事に根付いたと報告されている。

兄のブルースは、この年不運にも亡くなった。

スコット大佐は自らもマニプールで茶の苗木を手に入れ、それとブルース兄弟の苗木をカルカッタの植物園に送り、そこの園長を務めていたウォーリッチ博士に鑑定を依頼した。大佐は、アッサムの少数民族や中国人がこの木を

「茶」と呼んでいること、この木の実が植物図鑑に描かれている「中国の茶」の木の実と同じことなどから、このアッサムの木は、中国のものと同じ本物の茶の木であると主張した。

しかしウォーリッチ博士は、アッサムの木は椿の一種であり、中国で栽培されている茶の木ではないと宣言。それ以来、アッサム地方のあちこちでも見つかった茶の木も、みな茶とはちがう椿の一種であると、他の植物学者たちも思い込んでいたのである。

ところが同じ頃、ロンドンでは、インドで紅茶産業を興すことに賛成する意見がわき起こっていた。本国での紅茶の需要は拡大の一方だったが、中国との貿易は不安定で、アヘン戦争を直前にして危機的な状況だったからである。

一八三四年二月、インド総督のウィリアム・ベンティンク卿は茶業委員会を設立し、インドで茶を栽培するという計画を打ち出した。彼は、

「東インド会社は総力を挙げて、断固として、アッサムの地での紅茶の木の栽培と生産に着手せねばならない」という決意を述べている。

その年の七月、ビルマ国境に近いジュンポー地区で再び茶の木が見つけられ、十一月には苗木とともに、そこの民族が茶を作って飲んでいるという報告が、再びウォーリッチ博士のもとに伝えられた。それを調べた博士は、これが中国の茶の木と同じカメリア・シネンシスであることをようやく認めたのである。

ところが一方、茶の木の真偽の議論をよそに、兄から茶の苗木を受け継いだチャールズ・アレキサンダー・ブルースは、一人で必死に栽培を試みていた。かれはまたサディア地方のマタックというところで、茶の木が自生しているのを見つけ、それから二年の間、一二〇カ所もの地区で栽培を試した。中でも最も成功したのはナガ丘陵とティーポーム、そしてグルフという場所である。

チャールズは植物学者に頼らず、十数年間をかけて自らの目でアッサムの原野を探索し、アッサムの茶が中国からわたってきた本物の「茶」であることを確かめ、彼自身の手で、インドでの茶の栽培を成功させたのであった。

★中国種への執着

ベンティンク卿の設立した茶業委員会は、ウォーリッチ博士がアッサムのジュンポー地区の茶の木を本物と認めたことで、インドでの茶の栽培に向けて一層力を注ぐようになった。

彼らはアッサムの気候・土壌・地形を調べて茶栽培に適した地を探すのと同時に、製茶の技術を習得するために、書記官であったジェームス・ゴードンを中国へ派遣した。

ここで興味深いのは、ゴードンが中国に行ったのが、製茶技術を伝える中国人を連れてくるだけでなく、茶の苗木や種を持ち帰るためでもあったということだ。

ウォーリッチ博士によって、アッサム自生の木も中国のものと同じだと認められていたのに、なぜ中国の苗に固執したのだろうか。

彼らは、アッサムの木は何世紀にもわたり野生の状態で生育してきたため、中国種と同じものであっても、中国の木のように良質な茶葉を産することはできない、またアッサムの木の種や苗を育てたとしても、同じく良質な茶葉にはならない、と考えたのであった。

ゴードンは一八三四年にカルカッタを発ち、途中海賊に襲われたりしながらも福建省のアモイに到着、一八三五年には茶の種が四回に分けられてカルカッタに送られてきたが、どれもあまりよい種ではなかったらしく、全滅してしまう。一八三六年、ゴードンが再び中国に赴いて持ち帰った種はカルカッタの植物園で発芽し、四二〇〇〇本の苗木に育ち、アッサムの北部、クマオン、デハラダン、そしてインド南部のニルギリに運ばれ植えられた。

だが結果は無残なものだった。中国種の苗はどこに植えても根付かず、枯れていった。あまりの悲惨な結果に、矛先はいわれのない中国人にも向けられ、「中国人は、中国以外の地での茶の栽培を阻止するため、白人に茶の種を売る前に、茶の種を茹でて発芽しないようにしている」などというデマも流れた。

だがどんなに努力を繰り返しても、中国種の苗はインドの地では育たなかった。唯一の例外はダージリン地方で、ここでだけ、中国種の苗は生き残り、栽培されるようになったのである。

今でもダージリンの紅茶が、他のインド産の紅茶と少し異なる風味を持つのは、もとが中国種であり、それが育つことのできるダージリンの気候や土壌が他の地と異なっているからである。そしてイギリスにおいて、ひいては世界において、ダージリン紅茶が格段のあつかいをされるのは、イギリス人の「中国種の方が上等」という信仰の名残りでもあるといえよう。

ダージリン紅茶は世界中で愛されているが、その消費量は、本当にダージリンで生産されている茶葉の量の何十倍、何百倍にもなるであろう。とはいっても、正山小種とラプサンスーチョンの時のように、全くの偽物が作られているというわけではない。ダージリンの茶葉に他の地域で摘まれた茶葉をブレンドしたものを「ダージリン紅茶」といっているので、ダージリンの生産量と消費量が大きく異なる、という仕組みである。イギリス人の中国茶への憧れと工作は、かように現代まで引き続いているのである。

★アッサムカンパニー

茶業委員会がインドで中国種の茶の木を栽培しようとむなしい努力を重ねている間も、チャールズは黙々とアッサム種の茶の栽培を研究し続けていた。

そして一八三七年十二月、チャールズはとうとう自らの手で栽培したアッサム種の茶の木から茶を作り出した。それは中国式の緑茶であった。

翌年の十一月には、アッサムで作られた初めての紅茶がロンドンに到着し、一八三九年一月のせりにかけられた。ロンドンのアジアティック・ジャーナルは新聞に次のような記事を載せている。

「英国領のアッサムから初めて茶が八箱輸入された。合計三五〇ポンドである。内容は、三箱はスーチョン、残りはペコーだった。ピディング大尉という人が、三箱のスーチョンを一ポンド二一シリングの高値で競り落とした。もっと人気のあるペコーは六〇近い競り合いとなり、一ポンド三四シリングもの異常な高値がついたが、これもピディング大尉が落札し、彼は結局八箱すべてを入手したのである」

この成功に刺激された起業家たちは、アッサムの製茶事業に乗り出し、一八三九年、カルカッタとロンドンでほぼ同時に事業会社が設立された。そしてチャールズは一八四〇年、ジャイプール北部の総監督に任命され、ロンドンで設立されたアッサムカンパニーに参画する（このジャイプールは、現在のラジャスタン州の都とは別の、アッサム地方のディブルガルの南にある街のこと）。

ロンドンの人々は、足を踏み入れたこともない遠い国の、アジアの神秘であると同時にイギリス人にとってはすでに生活必需品となった「茶」に、一攫千金の夢を見て投資した。だが、アッサムカンパニーの設立当時、イギリスでは十八世紀後半から十九世紀にかけてのバブル景気が、深刻な曲がり角にきていたのである。

十八世紀末から十九世紀の初めにかけて、イギリスは植民地を中心に海外貿易で未曾有の富を生み出し、商人たちは数多くの代理店をインドや中国、その他の国々で経営していた。植民地では原料を作って本国に売り、本国で加工して製品にし、それを再び海外で売る。異国の珍しいものは、本国でも異国でもそれぞれに売れ、景気は上昇し、投資家は安易に巨額の投資をし、銀行も多額の信用貸しをたやすく行った。楽天的なムードの中、危険な投資もまるで博打のように気安く行われていた。

その一方で、国内の貧富の差は広がり、労働者の貧困は深刻であった。やがて見境いのない投資が裏目となり、バブル景気が崩壊すると株価は一気に崩壊し、アッサムカンパニーだけでなくさまざまな企業を巻き込んだ恐慌となり、一八四〇年代はイギリスでは「飢餓の四〇年」と言われるほどの不景気となる。これにアイルランドのジャガイモ飢饉が重なり、特に庶民の経済は深刻な状態となった。

しかし、中国から輸入され続けていた茶は、すっかり庶民の生活に溶け込み、なくてはならないものとなっていた。一八四〇年代のイギリスの一人当たりの茶の年平均消費量は、一・六一ポンド（約七三〇グラム）だったが、五〇年代になると二・三一ポンド（約一〇四七グラム）

に伸びている。一〇年間で一・四倍以上である。

これは単に嗜好品や流行ということではなかった。貧困層では女性や子供までが労働力として工場に借り出され、食事の支度をする時間も満足になかったが、紅茶に砂糖を入れて飲めば、料理をせずとも手早く温かいものを摂ることができ、カロリー補給ができた。また工場での長時間の労働の最中、ティータイムの休憩は、体を休めて再びカロリーを補給する、必須の時間であった。

一八四四年、工場労働者たちの紅茶の飲み方は「薄い紅茶に少量の砂糖、そして牛乳もしくはジンを入れたもの」と報じられている。

男たちは低賃金で一日に一五～一六時間も働いたが、そのあげくに酒場に通い、ジンをあおってますます家計を苦しくしたし、早朝から託児所にあずけられた赤ん坊や幼児は、むずかるとアヘンシロップやアヘン入りキャンディーを与えられ、虚弱になったり死亡したりする者も多かったという。

これらの悪弊と比べたとき、「茶が体によく家計を助ける」飲み物であったことも、需要の増大につながっていた。

このように紅茶の需要は増大の一方であったが、アッサムカンパニーは設立されて三年を待

19世紀には、お茶は上流階級だけでなく、一般家庭の日用必需品となった。この絵のタイトルは〝ワットの初体験〟。蒸気機関を改良したジェームス・ワットが子供の時にお茶の湯をわかすやかんの蒸気を観察しているシーン

たずに危機に陥ってしまった。

まず一八四二年には、アッサム東部と南部で開墾を進め、東部の六六六エーカー（約二七〇ヘクタール）、南部の一六四五エーカー（約六六六ヘクタール）に追加して、さらに栽培地を広げたものの、植えるべき苗木をそろえることができなかった。植物学者やカンパニーの役員が、中国種の苗木にこだわったためである。さらに前年に若い茶樹から茶葉を採りすぎたため、木が弱くなって収穫が減少していた。

また広大な用地の北部・東部・南部の三つの地区に、それぞれ監督者、ヨーロッパ人とインド人それぞれの雇い人が必要で、彼らへの給料も合計する

と高額なものになった。

経費ばかりがかさんで、収穫量の少ないアッサムカンパニーに不審が集まり、株が下がり始める。

そして一八四三年、新聞で、アッサムカンパニーの新造した汽船が、ブラマプトラ川の急流をさかのぼれずに売却されたというニュースが報じられると、株は暴落し、その責任をとってチャールズは解雇されてしまったのである。

その時五十歳だったチャールズは、この処遇をうらむでもなく、次のような言葉を残している。

「兄と私は、アッサムの地で茶の木を発見した。その葉を栽培し、アッサムの太陽でしおらせ、それを揉み、炭火で乾燥させて紅茶を作った。

アッサムの茶の木は、放っておくと四三フィートにもなるものだが、三フィートの高さに剪定しても新芽がたくさん出てくることを発見した。アッサムは日射しが強く、茶の木は時折日陰が必要なので、茶園の中に日陰用の木を植えてその下で栽培するのがよいことにも気づいた。これらの私の試みは、今後アッサムで茶を栽培する者にとって役立つだろう」

他のほとんどのイギリス人が、「中国種の茶樹を、アッサムで育て、植民地生産で巨利を得る」ことしか頭になかった時代、チャールズはアッサム種の苗を育て、アッサムの紅茶を作り続けた。そしてバブル景気に浮いた、茶の木のことなど知らない本国の人々がアッサムカンパニーを作ったときに、リーダーにかつぎあげられ、経営が難航すると早々にお払い箱にされたように見える。

やがて、結局は「アッサムではアッサム原種の苗を育てる」ことが正しいことが分かる日がくるのだが、その時、チャールズはもうアッサムカンパニーから離れていたのである。

★ブルース夫妻の墓

チャールズはアッサムカンパニーを解雇された後、妻のエリザベスと共に、アッサムの中央部に位置するデジプールに移り、そこで自ら茶園を作った。そして、一八七一年に亡くなるまで、次に続く者たちに茶栽培と製茶の技術を指導した。エリザベスは一八八一年に亡くなったが、それまでの六〇年間にわたり、アッサムの地でキリスト教の布教につとめ、慈善事業に力を尽くしたのである。

チャールズがデジプールに住んだのは、かつて上官でもあったジェームス・ゴードン大佐が、この地にささやかな英国国教会の伝道所を建造したとき、それを手助けした縁があったからだった。それは小さいながら英国様式を取り入れた教会建築で、ブルースの家はその教会に並ぶように建てられている。

彼はアッサムの地で茶の栽培をする一方で、布教活動をすることにも熱心だった。故国を遠く離れ、過酷な自然条件で茶園を開拓する仕事をする中で、精神的な支えが必要だったこともあろう。ゴードン大佐とチャールズは、一八四五年ころまで、独自の努力で英国国教会の伝道所を開いていたのである。

アッサムで大規模な茶園を経営する際、それに必要となるのは多量の労働力である。だがアッサムの人口だけでは労働力をまかないきれず、またアッサムの文化とイギリス人の求める労働条件が合わなかったりして、他の地域から労働者を移植することが進められていた。チャールズも早くから茶園労働者を、ベンガル地方などアッサム以外の地から採用することを唱え、実践している。

だが故郷を離れた入植者たちは、自分たちの社会を失い、反目するアッサム人の中で暮らしていかなければならない。入植者を精神的にまとめ、安定させるために、キリスト教に入信することを勧め、茶園を平和に運営することも布教の目的だったのである。

二〇〇三年五月、私はチャールズの足跡を追うべく、デジプールを訪れた。ガイドをしてくれたポールさんは、ブラマプトラ川の河口、アッサム州のデュプリという街で生まれ、州都ガウハティでエンジニアとして働いた後、カルカッタに移り、現在はカルカッタに住んでいるという。アッサム人独特の、下ぶくれの丸顔で、目がとても大きい。

チャールズの墓はデジプールの街の中心にある、クリスチャン墓地の一角にあった。今はキリスト教徒も少なく、墓の手入れをする人もない、ということで、荒れはてた墓地だったが、チャールズの墓の周囲は草むしりがされていた。三段に重ねられた墓石の上に茶色い大理石の十字架がすえられていた。

この墓地の墓守のビマールさんの話では、もとの十字架は傷んでしまったので、五年前に新しく作り直し、オリジナルは別のところに保管してあるという。一〇年ほど前までは、彼の命日にはミサが開かれ、記念式も催されていたが、近年はキリスト教信者も減り、茶園のマネージャーも若い人になり、歴史上の人物を回顧する者もいなくなってしまったとのことだった。

それから私とポールさんは、チャールズの終の棲家も訪ねてみた。外壁や屋根は補修されているが、玄関のポーチに建つ三本の柱や芝生と木々の庭園など、この一角だけはイギリスの雰囲気を今も保っている。

現在は障害者用の職業訓練所として利用されているので、ここの管理者のプラディープさんに中を案内してもらった。

入ってすぐに広々とした応接間があり、立派な暖炉がこの部屋のシンボルのように据えられていた。スコットランド生まれのチャールズが故郷を懐かしんだのかもしれない。調度品はタイル貼りのワゴン、背の高い書棚、古い英国製の木の椅子、ライティング・デスク、キャンドル・スタンドなど、確証はないが、チャールズとエリザベスのブルース夫妻が使っていたものと思われた。

数十人が集える食堂、ベッドルーム、学校の教室ほどの広さのミーティング・ルームなどと部屋は続く。チャールズはここで、アッサムで茶の栽培をする人たちに研修をさせ、技術を教えたのだという。今はその部屋は障害者たちが、竹や木で細工をした土産品を作ったり、ひもを編んで袋や箱の装飾をしたり、刺繡をしたりして、仕事を覚えるための部屋になっている。

家の壁には今でもたくさんのキリスト教の絵画が掛けられ、白い壁面には、ブラマプトラ川から反射される日の光がまぶしく揺れていた。

彼らの業績を、アッサムに紅茶事業を確立した開拓者とも、植民地支配でインド人を苦しめた白人とも、見ることはできよう。どちらであれ、今残っているのは、忘れられかけた二人の墓と、再利用されている家、そして世界中で飲まれているアッサム紅茶だけである。

★アッサム紅茶の製法と普及の秘密

一八四三年にチャールズ・ブルースがデジプールに去った後、一八四〇年代の後半まで、アッサムカンパニーは破産ギリギリの状態が続いていたが、やがて再建に向けて改革が進められていった。

その中でジョージ・ウィリアムソンという人は、多くの役員や学者が中国種の苗木に固執する中、アッサムの地ではアッサム原種の苗が適当であると主張し、栽培を強行した。これによって茶葉の生産量は少しずつ増加し、一八五〇年代にはようやく危機を脱するまでになる。

イギリス本国では、前述のように労働者階級にとっての生活必需品となっていたため、低価格で供給できる茶は歓迎された。「理想は高級の中国茶、現実は廉価のアッサム茶」という二重構造の中、茶商たちは中国茶にアッサム茶をブレンドして、大量の茶を安く売りさばいた。

改革されたのは苗ばかりではない。製茶方法にも手が入れられた。

中国の茶は、すでに紹介したように、仕上げの段階で釜炒りをする。これが茶の渋みを緩和し、香りをよくするのであるが、アッサム紅茶ではこれを省略したのである。アッサム茶は、味・香り・水色ともに濃厚であることを個性とするので、それを強調するための製茶法でもあった。こうした安価大量の生産が、アッサムカンパニーの成功につながったのである。

そしてアッサム紅茶の人気と供給の増大に拍車をかけたのは、一九三〇年代に考案された、製茶機械だった。

アッサム茶には、全く異なる二つのタイプがある。一つはほんのり赤味がかった淡い橙色、もう一つはカップの底も見えないほど黒ずんだコゲ茶色の茶だ。

一般にアッサム茶といえば、この濃いコゲ茶色の方が思い浮かべられる。これこそがアッサム茶を世界に普及させた茶で、CTC紅茶と呼ばれている。

私がアッサムのマズバット茶園を訪ねたのは二〇〇三年だ。アッサムはインドとはいえ、カルカッタから北東に広がる、離れ小島のような地域である。バングラデシュ、ミャンマーと国境を接し、ミャンマー側に伸びた先はベンガル湾近くまで南に広がっている。

北にはブータン、チベットが広がり、チベット南西部のカイラス山脈から発した、全長二九〇〇キロメートルにも及ぶブラマプトラ川がアッサムを横断する。雨季には最大幅が四〇キロメートルにもなるという、海にも匹敵するスケールの川だ。沿岸には世界最大の茶園地域が広がり、水田やサトウキビ畑も潤している。バングラデシュでは広大なジュート栽培地を養う。

雨季には水位が九〜一二メートルも上昇し、洪水になると川辺の低地はみな水没する。洪水は新しい肥沃な土を運んでくるので、水がひいたあとの豊作をもたらす。そしてこの豊かな流れが生み出す霧が、アッサムで栽培される茶の木を包み、適度な湿り気を与え、新芽を生育させるのだ。

州都ガウハティから車で約三時間、ブラマプトラ川にかかった橋を渡り、川沿いの国道をデジプールに向かって北上していくと、八〇〇エーカー（約三二四ヘクタール）の広大な茶園に到着する。茶園マネージャーのアジャ・シンさんが出迎えてくれた。彼はマネージャーになって一三年目だが、日本人が来たのは初めてだという。

紅茶の買い付けはほとんどカルカッタでできる。この地方はインドの中でももっともテロが多く、ブローカーやバイヤーも危険を冒してまで茶園を見に来ることはほとんどない。シンさんの豪華なバンガローも、広い庭園も、塀と有刺鉄線の柵で囲われ、外にも内にも銃を持ったガードマンが十数人も警護している。

午後の二時頃に着いて、すぐに茶園に案内してもらった。突き刺すような日射しが、目にも肌にも痛い。気温は三〇度くらいだが、それ以上に暑く感じる。茶摘みをしている場所までジープで猛スピードで走った。遠くの道を、白いトラックが茶葉を積んで走っているのが見えるが、まるで海に浮かんだ船のようで、茶の水平線が三六〇度広がっている。

五〜六メートルの間隔で、高さが一五〜二〇メートルもの大きさの広葉樹が植えられて、日陰を作っていた。シェイドツリーと呼ばれ、茶葉に当たる日射しを和らげ、育ちをよくし、茶葉の味もよくする役割をおっている。チャールズ・ブルースの発見した生育法だ。

茶の木は高さ一メートルほどに剪定され、新芽は淡い黄色がかった緑色、下の方の葉は濃い緑色だ。新芽でも長さは二〜三センチもあり、そのすぐ下の新葉は六〜七センチ、二枚目の葉は八〜九センチ、濃い緑の古い葉になると長さ一五センチ、幅は七〜八センチにもなる。

茶摘み地では数百人の女性が、半径一キロメートルほどのエリアに散らばって茶摘みをしていた。大きなビニール製の、ひものついた袋を、額から頭へと掛けて背中に背負っている。時々目をあげてにっこりと笑ってくれるが、手先が止まることはない。あっという間に、両手に茶葉が、まるでトランプを広げたように扇状にいっぱいになり、それが背中の袋に放り込まれる。一日に一人で三〇〜四〇キロも摘み取るという。マズバットに働く労働者は約三〇〇〇人、そのうち工場労働者は約一〇〇人というから、ほとんどは茶園管理と茶摘みの人である。

袋に入っている茶葉は、一本の軸に芽と二枚の新葉が付いている。この広大な茶園のすべての茶葉を、こうして人の手で摘んでいるのだ。

集められた茶葉は、まず水分を四〇〜五〇パーセントほど飛ばして、萎らせた状態にする。そのために金網の上に茶葉を三〇センチほどの高さに積み上げ、温風を通わせながら一〇時間ほど置くのだが、これによって葉が柔らかく、揉みやすくなる。

淡い橙色の茶を作るには、この葉を機械で揉んで作る。人が掌で揉むのと同じように、茶葉の形状も大きさもそのままで撚りがかけられ、それを発酵させて紅茶にする。これをOPタイプという。

仕上がった茶は長さが二〜三センチもあり、これをポットで淹れると、茶葉が広がってもとの葉の形になる。葉の損傷が少ないので、葉汁による発酵も弱く、タンニンが抽出されにくいので色は淡く、渋みの少ない、繊細な味と香りのする茶になる。

もう一つの、濃い色になるCTC紅茶は、萎らせた茶葉をローターバンという大型の機械に入れ、細かくねじ切ってしまう。それをさらにCTCマシーンで加工する。これはCRUSH（つぶす）、TEAR（引き裂く）、CURL（丸める）、の作業を一貫して行うのでこの名前がある。茶の仕上がりは、細かい顆粒状になる。この機械は一九三〇年代に考案されたもので、アッサム茶の製造にいち早く導入された。今や、アッサム全土で製造される約六四万トンの紅茶のうち、五九万トンがCTCで作られている。

アッサムの茶摘み

CTC紅茶の特長は、色が濃く出ることのほか、抽出時間が三〇秒から一分と短時間でティーバッグに向いていること、渋味が出やすくしっかりした味になるが、OPタイプのような、花やフルーツのような華やかな香りは出にくいことなどである。時には水色が濁ることもある。

この二つの最大の違いは、OPタイプは茎や軸を除去して作るので、生葉から紅茶にする時の仕上がり率が三〇パーセントなのに対し、CTCタイプはこれらを除かずに全てを含めて加工されるので、仕上がり率は六〇パーセントと、生産量が倍になることである。

CTC紅茶は、チャールズ・ブルースが亡くなって六〇年も経ってから生まれたもので、彼の時代にはアッサム紅茶もすべてOPタイプの、中国から伝わったままの製法だった。

シンさんに、当時の茶はどんなだっただろうかと聞くと、少し考えてから答えてくれた。

「今のようなマシーンはなかったので、手だけで揉んだものはもっと発酵が弱かったでしょう。中国の烏龍茶に近かったかもしれませんね」

CTC紅茶は、それまでの紅茶のイメージを一変させた。そして大量に作ることができ、安価で、飲むときは簡単にすぐいれられ、色も味も濃くてはっきりした、忙しい大衆にぴったりの茶として、圧倒的な量で世界中に広まった。そしてこれこそ、まさに十九世紀からアッサムカンパニーがめざしたものだったのだ。

★デジプールのチャイ屋

今では、CTC紅茶はインドのあらゆる場所で、甘い紅茶となって人々に飲まれている。デジプールを訪ねたある朝、私はガイドのポールさんと一緒に、街のバザールに出かけた。朝夕は肌寒いくらいで、暑くて乾燥した日中に比べて、全てのものが少し湿気を含んでやさしく落ち着いて見える。竹の枝を何本か束ねた箒を手にした女性や子供や老人が、素足のままで汚れた道を掃いている。

バザールでは野菜、スパイス、肉、魚、雑貨などが地面に並べられ、さまざまな匂いが交じり合った強烈な匂いについ目が細くなってしまう。その中のあちこちに、数十人の人が集まっている場所がある。これがチャイを売る屋台だ。

人ごみをかき分けて近づくと、ゴーッという噴出音がする。チャイを沸かすコンロの音だ。炎が四〜五センチも立っていて、相当な火力のようだ。

チャイを作っているのは、まだほんの十二、三歳くらいのTシャツの男の子だ。直径三〇センチくらい、深さ一二〜一三センチの銅鍋に、六〇センチほどの柄が垂直についている。巨大な玉杓子のようだ。そこに水を一リットルほど入れ、続けてすぐにガラスのコップにすくい取ったCTC紅茶を入れる。それが沸き立つまでの数十秒間に、一〇粒ほどのカルダモンとブラックペッパーをすり鉢のような器具で潰して鍋に加える。それからアルミ製の大きなマグカップで牛乳を注ぐと、それまで紅茶だけの濃い茶色だった鍋の中が、クリームブラウンの美味しそうな色になり、ふわっと甘い牛乳の匂いがただよう。

仕上げに、ガラスのコップに山盛りに入れたざらめの砂糖をザーッと入れ、竹の棒で二、三回かき混ぜる。チャイが沸騰して表面が盛り上がってきたらコンロからおろし、プラスチックの茶漉しを通して大きなマグカップに注ぐ。それを右手で頭上高く持ち上げ、左手に持った空のマグカップめがけて、ざばっと注ぎ落とす。これを二〜三回繰り返すと、泡がいっぱい立って、出来立てで美味しそうに見えるし、沸騰からほどよく冷めて飲みやすくなるのだ。一〇〇ccほど入る小さなガラスのコップが二、三〇個も並べられていて、男の子がマグからチャイを注ぎ分けると、人々が一斉に手を伸ばす。一杯二ルピー(当時約四円)だ。

ガラスのコップをしっかりと持つと熱いので、親指と人差し指で、盃を持つようにコップのふちを持ち、唇をとがらせてゆっくりすすると、まずは甘さが口一杯に広がる。それからピリッとするブラックペッパーの刺激、そしてカルダモンのスーッとする爽やかさが感じられる。チャイがのどに入ったところで、紅茶の快い渋みと、それを追いかけて牛乳の風味がくる。渋かったりねばついたりすることはなく、三八〜四〇度にもなる日中でも美味しく飲めるだろう。

男の子は得意げだった。一回分で二、三〇杯のチャイを作るのに約五分、一日一〇時間は働くという。ここでは交代で、別の仲間が八時間ほど作っているので、一日に四〇〇〇杯から五〇〇〇杯ものチャイを作っているという。机一つ分ほどの屋台だが、オーナーがいて、男の子は雇われている。チャイを作る彼と、出前に走る者が数人、ガラスのコップを洗う者と、仕事が分担されている。

私がカメラを向けていると、いつのまにか四〇〜五〇人もの人だかりができていた。子供、大人、老人、サラリーマン風、サリーを着た若い女性、貧しそうに見える子供や老人たち。みんなチャイを飲んでいる。二ルピーはインドでも安い値段だが、払えない人もいるのではないか。私が不思議がるとポールさんが言った。

「インドでは、誰でもチャイを一日に五、六回も飲みます。安いから、貧しい人には一杯くらいごちそうしてあげる人が多いのです」

自分が飲むとき、買えない人には施しをしているのだ。二〜三杯分払っても、大した金額にはならない。それでチャイ屋の周りにはいつもいろいろな人が集まり、にぎわっているのだ。見ず知らずの人たちが、肩が触れ合うほど接近してチャイを飲んでいる。何か面白いことがあれば、一斉に笑う。日本のカフェやファストフードの店にはない光景だ。

二ルピーのチャイなら奢りやすい。奢ってもらった者は礼を言い、にっこりすればそこから会話も生まれる。

デジプールのチャイ屋

「お茶でもどうですか」

安いCTC紅茶が生まれて、この言葉が世界で共通になったのである。

〈第八章　セイロン紅茶の立志伝〉

★セイロンに茶が植えられるまで

インドのアッサムで茶の栽培に成功したイギリス人は、それに続いて他にも茶の栽培ができる地を探した。そこで目を向けられたのがセイロン島である。

セイロンは現在スリランカと呼ばれている。南インドのデカン半島南東方のインド洋上に位置し、ほぼ卵形をした、北海道と九州の中間くらいの大きさの島だ。

この島の歴史は古く、紀元前五世紀にはインドの西海岸からビジャヤ王と七〇〇人の部下が渡来して先住民族を征服し、シンハラ王朝を建てたと伝えられる。紀元前三世紀には仏教が伝えられ、王をはじめとする有力者を帰依させた。このとき以来、セイロンでは仏教が最も勢力のある宗教であり続けている。

紀元後一世紀ころから乾燥地帯に大灌漑事業を中心にした文明が開化した。五世紀には東晋の仏僧・法顕が訪れて大伽藍に驚嘆した記録が残っている。十二世紀には最盛期をむかえ、インドやビルマにまで遠征軍を進めているが、十三世紀には灌漑施設が放棄され、人々は湿潤地帯へと移り住み、国力は縮小した。

十五世紀には明朝の朝貢国となるが、実質的な植民地支配は受けていなかった。十六世紀、セイロン北部にはタミル王国、南部にはシンハラ王国から分裂した三つの国家が並んでいたが、ポルトガルの艦隊がシナモンを手に入れるために渡来し、一五一七年にコロンボに商館を築くと、ここを基点に沿岸部の支配を進めた。

十七世紀、ポルトガルに替わって、オランダ東インド会社がシナモン貿易の独占権を獲得し、セイロンはオランダの領土として支配を受け、シンハラ王朝の一つで内陸部にあったキャンディ王国だけが独立を保っていた。

一七九六年、イギリス東インド会社がオランダ領を接収し、一八〇二年には直轄植民地として編入、一八一五年にキャンディ王国の内紛に乗じて併合し、ここにイギリスが全島を支配することになったのである。

オランダが支配していた時代、彼らは島の南部にある海岸沿いの街ゴールに城壁を設け、そこを拠点にして、北の山岳地に向けてコーヒーの栽培をしていた。イギリスに支配が移ってからもそれは続けられ、十九世紀の半ばまではセイロンコーヒーとしてロンドンに輸出されていた。農園は一一万一〇〇〇ヘクタールもあり、年間一億一千万ポンド（約五万トン）、金額にして一六五〇万ポンドのコーヒーが出荷されていた。

ところが一八六五年ころから、コーヒーの木に伝染病が発生した。葉が枯れてしまい、錆がついたようになるところから、錆病と呼ばれたこの病気は、あっという間に全島のコーヒー園に広がり、コーヒーの木を全滅させてしまったのである。

それより前、一八三九年十二月にはアッサム種の苗木が、カルカッタの植物園からセイロンのキャンディの街のペラデニア植物園に送られていた。翌年にはさらに二〇五株が届き、島内の数カ所で栽培が試され始めている。だが当時はまだコーヒー栽培の利益が大きかったので、新たに開拓した土地もコーヒー農園となり、茶園の本格的な経営にはいたらなかったのである。

しかし錆病でコーヒーが全滅すると、農園が次々倒産し、荒廃したコーヒー園を見捨てて逃げ出す者も増えてきた。その中で、G・D・B・ハリソンとW・M・リークという二人は、一八六六年にアッサムに視察員を送り、改めて茶の苗木を持ち帰らせ、コーヒーを茶に切り替えて農園の復活に踏み切った。この試みは成功し、今日のセイロン茶が誕生することになった。

★セイロン初の紅茶園――ジェームス・テーラーの仕事

セイロンでの茶の栽培と製茶をほんの数年で成功させ、独自の方法で紅茶を作り上げた、一人の人物がいる。彼の名はジェームス・テーラー。スコットランドの片田舎から、コーヒー園に出稼ぎにやってきていた男だった。

ジェームス・テーラーは一八三五年にスコットランド北部のキンカーデン地方にある、オーチェンブルーという小さな村に生まれた。父は車大工、母は彼が九歳のときに亡くなり、六人兄弟は新しい母を迎えた。頭がよく、村の教会学校での成績がよかったため、十四歳の時にはその学校の補助教員として文字や計算を他の子供たちに教えて報酬を得ていたという。

一八五二年、先にセイロンのコーヒー園で働いていた従兄弟の誘いにのり、十七歳のテーラーは、他のスコットランド人十数名と共にセイロン島に渡った。キャンディの街で、年一〇〇ポンドでコーヒー農園に雇われる。錆病以前、コーヒー栽培全盛期のことであった。

テーラーが雇われたナランヘナコーヒー園はセイロンでも一番大きいものだったが、彼はワロヤという新しい開拓地をコーヒー園にするように命じられる。そこではコーヒー以外に、キナの木（シンコナ）の栽培も託されていた。キナの木は、マラリアや黄熱病に効くキニーネという薬の原料となるもので、貴重なものだった。

テーラーには植物栽培の才能があったらしく、コーヒーもキナの木も、短期間で見事に成長させた。だが錆病には勝てず、他の農園と同様に全滅状態になる。一八六七年のことだった。

そこでナランヘナの農園主はアッサムから茶の苗木を手に入れ、再びテーラーに栽培させた。テーラーに与えられたのは、キャンディから東に数十キロ入ったルーラ・コンデラという険しい山岳地帯である。彼は二〇〇〇人の労働者とともに道を作り、土を掘り起こすところから始めなければならなかった。ジャングルの大木を象が倒し、大きな岩をのけ、人の手で平地にしていったのである。

幸いなことに、ルーラ・コンデラに植えられた茶の苗木は立派に根付き、茶園は見事に緑色に覆われるようになった。当時アッサムでは、茶の栽培とアッサムカンパニーの運営が軌道に乗っていた。それに継ぐ二番手として、カルカッタや南インドのニルギリなどでも茶の栽培が始まっていたが、試行錯誤と失敗が続き、まだ栽培に成功していなかった。そこにセイロンでいち早く、テーラーによって、茶の本格的な栽培がスタートしたのである。

〈スリランカの茶の生産地〉

★セイロンティーの完成

テーラーは茶の木の栽培だけでなく、製茶法にも才能を発揮した。

彼は紅茶の作り方をインド北部の農園主から学んだが、その方法に加えて彼は独自の工夫をこらし、さまざまな実験と改良を重ねていったのである。彼がルーラ・コンデラの山間を切り開いて作ったバンガローは、寝床以外はすべて実験用の工場のようだったという。

彼は製茶の行程で二つの点に注目した。一つは生葉の摘採方法、もう一つは発酵をうながすための揉捻《じゅうねん》方法だ。揉捻については、いかに機械化するか、ということでもあった。

一つ目については、茶の摘み方、つまりどのような葉を摘むかによって、紅茶の仕上がりの品質には大きな違いが出ることが分かった。新芽と新葉のみで作る茶と、成長した硬い葉が混ざっているのとでは、茶の出来に差が出る。

また茶を摘む位置——枝のどこからどこまでの葉を摘むか——ということも重要だ。一本の木から大量に摘みすぎると、元の木が弱ってしまい、次の新芽が出てこないか、出てきても弱くて成長が悪くなる。

バランスのよい仕上がりになるような茶葉をどう選び、一本の木からどれだけ採るか、この丁度いい摘み方を、茶摘みの労働者に徹底して教えることも大切だった。

二つ目については、揉捻機の開発が大きな課題だった。茶葉は揉み方で発酵が変わる。当時は、濃厚で味も香りも強く、色も黒っぽい赤になる紅茶、すなわち発酵の強い茶が求められていた。強い発酵のためには、茶葉をよりつよく揉んで葉汁を多く出すことが望ましい。そこでテーラーは、葉を押し付けて回転させ、ねじ切っていくエッジを考案し、キャンディの街の鍛治屋に造らせた。揉んでいるうちに摩擦でエッジが熱くなると、それが茶葉に伝わって発酵が悪くなる。そのために機械の材質やエッジの角度も何度も調整された。

こうして完成したテーラーの紅茶は、良質で美味しいとの評判を得て、セイロンのせりで一ポンド一・五ルピーという高値がつく。それはロンドンに送られて再び高値がつけられ、彼の名はロンドンでも知れ渡るようになった。

時代は一八八〇年代にさしかかっていた。ロンドンの店には、中国から運び込まれる紅茶と、この頃にはすっかり定着して年々生産を増加させていたアッサムカンパニーの紅茶が並んでいたが、そこにテーラーの紅茶も加わったのである。

セイロン紅茶のテイスティング風景。現在でも厳しい品質管理と研究がされている

★セイロン紅茶の父

ジェームス・テーラーは身長一八〇センチ、体重一〇〇キロの巨漢で、スコットランド人らしく髭をたくわえていた。人との集まりを好まず、セイロ

ンのスコットランド人が集まるパーティーや会合にも一度も出席しなかったという。ルーラ・コンデラの茶園に住み続け、終生独身だった。

一八九〇年、セイロン農園主協会は、セイロン紅茶栽培を成功させたテーラーの功績に対して、賞を贈ることを決定した。しかしその会合でも、テーラーがどんな人物であるかを知っている者はおらず、ただ変わった人、とても謙虚でひかえめな人であるということだけが伝わっていた。

農園主協会は彼に与える賞として、二九〇二・三六ルピーのお金を集め、それでロンドンから銀のティーセットとコーヒーポット、そして青い布を取り寄せた。これは四〇・二五ルピーだったので、残りの二八六二・一一ルピーは現金のまま、両方を「セイロン紅茶とシンコナ事業の創設における偉大な努力と功績に感謝して」という言葉と共に会合で渡すことになった。

この知らせは一八九一年八月十九日付けの手紙で、ルーラ・コンデラのテーラーに届けられた。二日後の手紙で、テーラーは次のように返事をした。

「十九日付けの手紙を拝受致しました。ティーセットは非公式に授与していただければ幸いです。これを贈って下さった方々にお礼を述べ、私たちの初期の紅茶事業の報告を手紙に書きたいと思っております。

もし会合に出席するとなると、私はみなさんの前で話をせねばなりません。それは私にとって初めての、公の場で話す機会になりますが、私にはふさわしくありません。もし許されるならば書状にて失礼させていただきたいと思います」

農園主たちの感謝のしるしでさえ、彼を公の場に登場させることはできなかったのである。

一八九二年の初め、農園は五十七歳というテーラーの歳を気づかい、厳しい環境での仕事はこれ以上無理と判断し、また世代の交代も必要と考え、彼に退職を言い渡した。だが彼はそれを受け入れず、ルーラ・コンデラから出ることを拒否した。

そしてその年の五月、テーラーは赤痢にかかり、二日後に自分の小屋で亡くなった。あっけない死であった。最後まで紅茶の仕事を続け、病気にかかった翌日も茶摘みの量や紅茶の仕上がりについて指示を出し、出来た茶の量も報告させていたという。彼の小屋の裏は段々畑となり、彼が改良を重ねてきた茶の苗木がたくさん植えられていた。

テーラーの遺体は、キャンディの街のクリスチャン墓地に運ばれた。大勢のタミル人たちが棺の後に続き、長い行列を作った。そして口々に「われらのテーラーは、紅茶の父だ」と叫んだという。

イギリスはセイロンを植民地として大規模な農園を経営するのに、南インドのタミル人を移植した。コーヒー農園でも茶園でも、彼らは莫大な労働力の供給のため、長年にわたって移住させられ続け、やがて定住して、老後もインドに帰らなくなる。これは二十世紀に入って、セイロンで茶とともにゴムの栽培がされるようになるとさらに進み、やがてはセイロンの民族紛争の種となる。現在でもスリランカでテロが頻発し、内紛が消えないのは、イギリス統治下のこの移植政策が大きな原因の一つなのである。

テーラーの時代も、茶園の労働者はタミル人だった。故郷を失ったタミル人たちにとって、茶園で共に苦労をしたテーラーは、支配者で白人の雇い主であると同時に、同じく故郷を捨てて茶園で死を迎えた、同胞だったのかもしれない。

生前、テーラーは一度もスコットランドへは帰らず、父や兄弟とも再会することはなかった。彼が休暇を取ったのは一度だけといわれている。しかしその行き先はインド北部のダージリンで、その休暇でさえ、紅茶の研究のためのものだったのである。

★リプトンの登場

十九世紀の紅茶史上には、もう一人、忘れてはならない人物がいる。一代で紅茶王と呼ばれるまでになったトーマス・リプトンだ。

一八五〇年、スコットランドのグラスゴー生まれ。彼の両親はアイルランドの農民だったが、一八四〇年ころに起こったジャガイモ飢饉によって、スコットランドに逃げのびてきた難民だった。両親はそこで小さな雑貨屋を開き、卵やバター、ハムやベーコンなどを売っていた。トーマスも小さい時から店を手伝っていたが、その頃から商才をあらわしていたという逸話がいくつかある。

例えばスコットランド人の客にはスコットランド語で話し、アイルランド人の客にはアイルランド語で話し、双方の客に親しみを持ってもらったという逸話。また、卵を売るときは、父の大きな手で持つと卵が小さく見えるので、手の小さい母が売る方がいいと両親に言ったという話などだ。

十歳になったときは家計を助けるために学校が終わってから文房具店で働いた。入荷する商品は船で港に到着するので、彼は手押し車で荷を受け取りに港に行き、そこで航海のことや外国のことを聞くのを楽しみにしていた。

文房具店の次はシャツを作る店で働いたが、暇さえあれば港に行き、船員たちの働く姿を見たり、作業員たちと話をしたりして情報を得ていたという。

十三歳で、両親の反対を押し切って、蒸気船のキャビンボーイになった。週に八シリングで、船に乗れる仕事は彼にとって願ってもないものだったが、十五歳になった時、それまでの貯金をはたいてアメリカ行きの船に乗った。

アメリカまでの船賃は一八ドルかかり、ニューヨークに着いたとき、彼のポケットには一〇ドルも残っていなかった。船が桟橋に着くとトーマスはいち早く駆け下り、ホテルの客引きたちが集まっているところへ行った。アイルランド訛りのある男を探し出して「自分が乗っていた船には友達がたくさんいるので、一二人連れてきたらいくらお礼をだすか」と交渉し、代価として一週間ただで泊めてもらう約束をとりつける。これがトーマス・リプトンのニューヨークでの最初の仕事だった。

その頃のアメリカは南北戦争が終結したところで、北部では軍需工場が閉鎖され、街には復員した兵士があふれ、働き口はなかった。反対に南部は活気があり、人手不足だったので、リプトンも南部へ行く。タバコ農園を皮切りにいくつか仕事を変えながら、休暇もとらず無駄遣いもせずに働き、三年後、北部に戻ってニューヨークの百貨店の食料品売り場という、最も望んでいた仕事についたのである。

そこでは商品の仕入れから販売方法、接客、宣伝と、商売の方法を次々に覚え、昇進も速かったが、十九歳になったトーマス・リプトンは、その仕事を捨てて両親の待つグラスゴーに帰ったのだった。彼のポケットには、それまでに一心に貯えた五〇〇ドルのお金があった。

一八七一年五月十日、二十一歳の誕生日に、トーマスはグラスゴーのストップクロス・ストリートに自分の店を開いた。両親の店と同じく、アイルランドから入荷する食料品の店で、店員は、彼自身と手伝いの少年が一人、そして猫が一匹。

だがトーマスは天賦の商才とアメリカで学んだ方法を生かし、店は大繁盛した。ここでも面白い逸話が残っている。

たとえばよく太ったブタ二匹に「リプトン家の孤児」と書いた旗をつけ、しっぽにリボンを結び、紳士の格好をしたアイルランド人が街中を連れ歩いて宣伝したとか、店の入り口に凸面の鏡、出口に凹面の鏡を置いて、店に入るときには痩せて見えた客が、店を出るときには栄養をとって健康そうに太ったように見えるようにした、などというものだ。

彼の考え出すユーモアのセンスは、アイルランド伝統の滑稽詩のように、大衆の心をつかんだのである。

クリスマスには巨大なチーズを店頭に出し、「チーズのお化け」として話題をさらった。このチーズの中には金貨が数枚入っていて、切り売りをした際、運のいい人にはその金貨が入った部分が当たる、というわけだ。この宝くじのようなチーズは、あっという間に売り切れという人気で、人々は毎年出される「チーズのお化け」を楽しみにするようになった。

彼のやり方に嫉妬する者が「チーズの中に金貨を入れるのは違法だ」と言うと、「チーズからもし、金貨が出てきたらリプトンの店にお返し下さい」というビラを出し、「金貨を飲み込んだら死んでしまう」と警察から止められた時は、「リプトンの店のチーズには金貨が入っていて、飲み込むと窒息する危険があります」と新聞に告知を出したので、さらに客は集まり、前にもましてよく売れるようになったという。

トーマスの店は、一号店の開店から三年目に二号店が、それから半年後には三号店が開店し、一号開店から一〇年後には、店の数は二〇軒、従業員は八〇〇人になっていた。

★リプトンの紅茶

トーマスの店が繁盛していた頃のイギリスで、紅茶の消費量が増加の一途をたどっていたことは表でも見られる通りだが、当時のロンドンの商人たちは、紅茶を売る工夫などはあまりしていなかった。大きな邸宅の場合は、注文を受けた後にその家に届け、一般の客には店頭で量り売りをしていた。だが一人一人の注文を聞いてから、紅茶を量って、包んで売っていたのでは時間がかかる。少し客がたてこむと、後ろに並んだ客は茶を買うまでに長い間待たなければならなかった。

リプトンはここに目をつけ、あらかじめ紅茶を一ポンド、半ポンド、四分の一ポンドの袋に詰めて店先に並べておき、客が来たらすぐに渡すことができるようにした。

また価格についても薄利多売になるように工夫した。この時代、庶民の週給が二ポンドほどだったのに対し、紅茶は一ポンド（約四五四グラム）で三シリング（〇・一五ポンド）だった。ためしに現代の感覚にしてみると、月給が三二万円の場合（週給八万円）、一ポンドの紅茶（一般的な立方体の缶三箱半くらい）が六〇〇〇円になる。日常に大量に飲むものとしては、ま

〈19世紀末イギリスの紅茶消費量〉

1875年	1億4400万ポンド（約65376トン）
1885年	1億8200万ポンド（約82628トン）
1890年	1億9400万ポンド（約88076トン）
1900年	2億4900万ポンド（約113046トン）

だ高価なものと思われていた。

そこでリプトンは仲介人を通さず、少しでも紅茶を安く仕入れるような流通経路を探し、一ポンドを一シリング七ペンスにまで引き下げた。それまでの半値に近い値段に客は殺到し、薄利多売は見事に成功した。当初は紅茶の商いをさほど大きく考えていなかったリプトンだが、これで一気に需要が増え、本格的な紅茶商人への道が開かれたのである。

袋入りの紅茶はリプトンの宣伝にも大いに役立った。袋に茶葉の品質やリプトンの名前を印刷することができ、これがいつも家庭の中に置かれることで、人々に店の名前やイメージを定着させたからだ。

リプトンは、さらに次の手も実行した。美味しい茶を淹れるのには、水質が大きなポイントだが、同じイギリス国内でも地方によって水質はかなり違う。そこで地方ごとの水質に合う紅茶をブレンドして売り出したのである。

たとえばロンドンの水は石灰分が多く硬度が高いので渋味が出にくいが、スコットランドでは軟水に近くなり渋味も出やすくなる。そこで色々な種類の茶葉をブレンドすることによって、その土地の水に合うように調整し、ロンドン・ブレンドとか、スコットランド・ブレンドなどを作ったのだ。これによって人々は紅茶を飲むのにも郷土愛を感じ、紅茶といえばリプトン、という意識を強めていった。

リプトンが導入した袋入りの販売方法は、すぐに多数の茶商がまねをして、一般的方法として定着していった。だがトワイニング社では、顧客に貴族や金持ちが多く、お屋敷に出入りの商人として配達することが多かったので、袋入りの販売を開始したのは一八九二年からだと、トワイニング社の歴史には記されている。

★リプトンとセイロン紅茶

トーマス・リプトンが母から受けた教訓は「商品は直接生産者から買いなさい」というものであった。かつて両親の店で売っていたハムやバターや卵も、みなアイルランドの生産者から仕入れていたものである。

一八九〇年の夏、彼はセイロン島に出かけた。茶の栽培地を調査するための旅であった。ロンドンの銀行家から、セイロン島の茶園が売りに出されて農園主を募集しており、これが将来性のある事業だという情報を得ていたのである。

茶園の状態は想像以上に良好で、リプトンは、セイロン茶がこれからロンドンで大きく取り扱われるようになると確信する。彼が買ったのは、島の南東部のウバ地方に広がるハプタレ地区の、グランオール・グループの土地だった。ここはダンバテン、レイモントッ卜、モーネラカンデの三つの茶園を含む土地で、その広さは三〇〇〇エーカー（約一二一四ヘクタール）もあったが、半分くらいは未開拓で、これから拡大しようというところであった。彼はさらにプッセラワ地区のプープラッシー茶園も買い取り、数週間のセイロン滞在で、一〇万ポンド以上の投資をしたのである。

中でも特に彼が直接経営に乗り出したのはダンバテン茶園だった。ウバ山脈の南側に位置し、標高は一四六〇メートルから二二〇〇メートル、一七三四エーカー（約七〇二ヘクタール）の茶園で、リプトンはここにバンガローを建て、渓谷に広がる茶園を眺めながら、次々に経営のアイデアを実行していった。

この茶園では、急な斜面や崖に茶の木が植えられていて、茶摘みをした後の茶葉の集荷が重労働で、事故も起こっていた。そこでリプトンは山頂から工場までロープウェイを設置し、茶葉を安全に、速く、大量に運ぶことができるようにした。それまではタミル人労働者が人力で工場まで運んでいたが、それがはぶかれ、生産効率も生産量も著しく上がった。

また製茶工場の機械も最新のものを入れ、品質のすぐれた茶を作るための効率化を進めたので、どこよりも衛生的で良質の茶が安価に生産されるようになった。

こうした努力の結果、ダンバテン茶園の紅茶は、翌年のロンドンのティー・オークションで一ポンドあたり三六ポンド一五シリングという史上最高値で落札された（現在の感覚だと約五〇〇グラムで二〇万円にもなる）。それはリプトン紅茶の信頼の証ともなったのである。

リプトンが所有するセイロン茶園の紅茶は、すべてコロンボに集められた。そこにはリプトン紅茶のブレンドと包装をする工場が設けられ、ここを拠点として世界各国に紅茶が輸出される。包装には、誰の目にも焼きつくような鮮やかな黄色地に、赤でリプトンと表示されていた。

彼が世界に向けて発した宣伝文句は「茶園から直接ティーポットへ」だ。この言葉は二〇カ国語に訳され、各国に広められ、世界中の人がリプトンの紅茶を知るようになった。

トーマスは生涯独身だった。ある人が結婚しない理由を尋ねたとき、彼は「紅茶の値段が、妻を養うにはあまりにも安すぎるから」と答えている。このジョークこそは、彼の出発点となったアイルランドのユーモアだ。そしてこの裏には、史上最高値をつけ、最高品質と認められた紅茶を、最も安い値段で売るという信念があった。

トーマスが建てたダンバテンのバンガローは今日も保存されているが、彼はここに数回しか滞在したことはなかったという。そしてコロンボの包装工場跡は、現在リプトン・サーカスと呼ばれ、かつての名残を残している。

セイロン紅茶工場のティータイム

★スリランカのミルクティー

英領となって約一三〇年後、セイロンは一九四八年に英連邦の自治領として独立し、一九七二年には自治領ではなく一共和国となり、スリランカと国名を改めた。

長い間のイギリス支配は、政治経済の基本構造とさまざまな問題のもととなり、現在に至っているが、文化的にも多くの影響が残された。コロンボをはじめ、古都キャンディや、茶園のあるヌワラエリアの街には、英領時代に建てられたホテルやレストランなどが今でも使われていて、そこではイギリス式のアフタヌーンティーで客をもてなす。店でも家庭でも、ティーポットでいれた紅茶にミルクが添えられ、これをお菓子と共に楽しむ風習が定着している。

しかしこの国の伝統的食文化は、インドの影響の下に生まれたもので、スパイスを多用した料理が基本である。紅茶も、イギリス式とは別にスリランカ風の飲み方があり、日常的にはこちらの方が人気がある。

コロンボから車で三時間ほど東に入ると、古都キャンディに着く。街の中心には、キャンディ王朝時代に作られた美しい人造湖があり、そのほとりには仏歯寺がある。スリランカの人々が大切にする、お釈迦さまの歯を祀った寺である。標高は五〇〇メートル近く、一年の平均気温が二五〜二六度という高原の気候で、人気の高い街だ。

その街の中心に、創立百数十年を誇る古いカフェがあり、その名をホワイトハウスという。店内は広く、一〇〇席あまりのテーブルには白と赤のクロスがかけられていて、やや薄暗い店内を明るく見せている。

高い天井からは年代もののシャンデリアが吊るされ、壁にはシックな壁燈がつけられていて、植民地時代風のインテリアで統一されているが、堅苦しい高級店ではなく、普通の庶民がお茶や軽食を楽しみに集っていた。

ここで出される紅茶には二種類あり、一つはもちろんイギリス式のポットサービスの紅茶。もう一つは、スリランカ風のローカルミルクティーだ。

厨房を見せてもらうと、青と緑と黄色の派手な格子模様のサルーンを腰に巻いたおじさんが、ボイラーの前に立って紅茶を作っている。足元には茶葉が無造作にバケツに入れられていた。

これは一ミリ以下の細かい粉のような、ファニングスという茶だ。その横にはベージュ色の砂糖が、これもバケツの中に入れてある。そして高さ七〇〜八〇センチもあるミルク缶が二、三本。ミルクティーの注文が次々に入ってきて、おじさんは顔をあげるひまもない。

まず、茶葉をコップですくって茶こしに入れ、ボイラーの熱湯を上からかけて、ステンレスの大きなマグカップにドリップする。その中にたっぷりの砂糖を入れ、別のコンロで沸かした牛乳を加える。この牛乳を入れるとき、もう一度茶こしを通すと、ソフトでおいしそうになる。

そして、ここからが見せ所である。紅茶の入ったマグカップを頭上に高く上げ、もう片方の手に持った空のカップめがけ、ざあっと一気に移すのだ。飛び散って少々こぼれても一向に気にしない。これを数回繰り返すと、ミルクティーは泡立つので、それをカップに注ぎ分けて出来上がり。

注がれた紅茶には泡がいっぱい浮かんでいる。これはできたての証拠で、この泡を紅茶と一緒にすると、甘味を余計に強く感じる。たっぷり使った砂糖だけでも充分甘いのに、さらにまた、と思うのだが、これにはちゃんと理由がある。

スリランカの人々の好むティーフードは、チリパウダーがたくさん入ったコロッケのような揚げ物なのだ。これは実に辛くて、口内が、熱いのを通りこして痛くなるほどのもの。そこにこの少しぬるめの甘いミルクティーが入ると、この辛さを緩和してくれる。するとまた辛いコロッケを食べたくなる、という具合だ。

　このミルクティーは、洋菓子には決して合わない。スリランカのローカルミルクティーは、スリランカの食べ物と共に、この店の大人気のメニューである。

〈第九章　アメリカの発明品〉

★ティーバッグ登場

茶を飲むには、茶葉を急須や茶瓶に入れて熱湯を注ぎ、蒸らして淹れるというのが、十四世紀以降の中国をはじめ、世界での伝統的な飲み方だった。だがアメリカで考案されたティーバッグは、ほんの一〇〇年たらずの間に全世界で最も普及した紅茶の飲み方として定着した。現在ではイギリスでも、ティーバッグの普及率は八〇パーセントを超えている。

ティーバッグの発祥について、矢沢利彦氏は『東西お茶交流考』という本で次のように解説している。

アメリカの茶の輸入業者は、茶の見本を錫の容器に入れて小売業者に送り、その茶を試してもらって注文を取っていた。

一九〇八年にある茶商人が、この錫の容器の費用を惜しんで、茶の見本を錫よりも安い絹の袋に入れて送ったところ、小売人は、一杯分の茶葉をその袋に入れて売ることを思いついた。

この絹袋ごと湯に入れれば、茶を淹れた後に茶殻をポットから苦労して取り出す必要もなく、便利きわまりない。そして茶商人は茶ではなく袋の注文を受けることになった。絹の袋は後に紙袋に変えられ、現在のティーバッグになる。

効率と利便性を重視するアメリカ的な発想は、伝統や文化よりも優先され、この簡単な淹れかたとスピーディな抽出方法は、紅茶の普及に大きな役割を担ったのである。

『オールアバウトティー』の著者ウィリアム・H・ユカースは、この本を出版した一九三五年当時のアメリカのティーバッグについて詳しく説明している。

最初は、紅茶を袋詰めするのは手作業であったが、三五年にはすでに、主な工場ではティーバッグの袋を作る機械と、茶を詰める機械を持っていた。紅茶業者が市場に出しているものには、色々な形状がある。一つはティーボールと呼ばれるもので、ガーゼに茶葉を丸く包み、口を糸で締めてある。また、ティーバッグ型と呼ばれるものは、ガーゼを二枚重ねて袋状に縫い合わせ、それに茶を詰めて袋の口を閉じたもので、まさしくバッグに見える。丸いラウンドタイプもあった。袋の材料としては、ガーゼの他にセロファンに穴をあけたものもある。どれにも、茶殻を取り出すときに便利なように、糸がつけられていて、その先にはラベルがあり、業者の名前や紅茶の銘柄、商標などが記されている。

アメリカでティーバッグが出回ったのは一九二〇年代からで、その需要は急速に高まっていった。一般家庭での普及はもちろん、レストランやホテルなどで、「簡単・速い・常に同じに淹れられる」という三拍子そろったすぐれものとして定着したのだ。

リプトンが、老舗のトワイニングに対抗できたのは、ティーバッグの生産にいち早く取りかかったためである。中国の歴史に憧れ、王侯貴族から庶民までが紅茶文化をはぐくみ、自らの植民地で紅茶を生産するまでになったイギリス人にとって、アメリカで発明されたティーバッグは、便利ではあっても受け入れがたく、味や香りについても難癖をつけずにはいられないものであった。当然、その時代のトワイニングはティーバッグの生産などはしなかった。

これに対し、リプトンはアメリカに本拠地を設け、いち早く便利なティーバッグを取り入れ、各国に向けて大規模に販売を展開した。そしてトワイニングにひけをとらない世界的な茶商として不動の地位を築いたのである。

★万博で生まれたアイスティー

イギリス人は、紅茶の邪道な飲み方はすべてアメリカで生まれたと眉をひそめるが、アイスティーもまた、アメリカで考え出されたものである。

だが皮肉なことに、考案者はイギリス人であった。アイスティーが誕生した逸話については『紅茶の文化史』の中に、一九六二年に書かれた『料理の歴史——古代から現代まで』（ベッティ・ウォルトン著）という本の記事が紹介されているので、ここに孫引きさせてもらうと、概略は次のようなものである。

一九〇四年にセントルイスで開かれた万国博覧会は、それまでの史上最大の規模のものだった。これは、アメリカが一八〇三年に、ルイジアナを含む広大な地域を、フランスから一五〇〇万ドルで買収してから一〇〇年たった、という記念の博覧会でもある。

会場の広さは四八五万平方メートル以上もあり、その面積の四分の一に、総数一五七六にも上る建物が建てられ、そのうちの一五の建物は、大建築の展示場だった。

広い敷地には鉄道が敷かれ、一七カ所の駅が造られた。二一〇日間の会期中に、入場者は延べ一二八〇万人に上った。

この博覧会の展示場の一つで、イギリス人のリチャード・ブレチンデンという商人が、紅茶の宣伝をしていた。「熱い紅茶は健康によい」ということを人々に呼びかけていたが、ちょうど七月の暑い最中で、汗をかきながら広い会場を巡っている人々は、横目で通り過ぎるばかり。

ブレチンデンは絶望的になって群集を眺めていたが、やがて一つの案を思いつき、淹れたての熱い紅茶の中に氷を入れて、

「冷たい紅茶はいかが」と呼び込んだ。

暑さにのどを渇かしていた見物人たちは、天の救いとばかりに集まってきて、彼の店はたちまち大繁盛となった。

このエピソードを信じるとすれば、アイスティーが誕生してから、ほぼ一〇〇年が経ったことになる。アメリカが発祥の地であったからか、あるいは伝統や歴史に執着せず、合理的に美味しさを求めるアメリカ気質が表れているのか、アイスティーの需要はアメリカが世界一である。日本でも一九八五年頃から、缶紅茶やペットボトル入りのアイスティーが出現し、自動販売機などで手軽に購入できるようになった。

そのせいもあって、紅茶の輸入量も増加している。一九七〇年代では、年間約七〇〇〇トンだったが、八〇年代には一万トン、九〇年代に入ると一万四〇〇〇トンにまでなった。この増加分のほとんどは、工業用に作られたアイスティーとして消費されている。

「紅茶はホットで飲むもの」と一徹を通してきたイギリスではどうだろうか。

一九九四年に、九代目サム・トワイニング氏にお目にかかって、日本の缶入り紅茶やアイスティーブームについてお話しした際、彼は、

「イギリス人は、この乾燥した、すがすがしいイギリスの気候をこよなく愛していて、それにはホットティーが一番よく合うと信じている。アイスティーは、イギリス人とイギリスの気候

には合わない」と言っていた。

ところがそれから三年後に再び会った時には、トワイニング社は、四種類の瓶入りのアイスティーを新たに開発し、発売していた。私が驚いていると、トワイニング氏は、「イギリスの食文化も変わってきて、アイスティーが二十一世紀の主な飲み物になるだろう。イギリスも変わっていく」と言った。

世界の九六カ国に紅茶を輸出する、英国王室御用達の茶商が、ちょっと寂しげにアイスティーを認めたのだった。

★レモンティー

一九三五年に出たユカースの『オールアバウトティー』の中に、レモンティーのレシピが紹介されている。

① 一人分あたりティースプーン一杯の紅茶と、二分の一にカットしたレモンを用意する。
② 容器にそのレモンを搾り、それに半パイント（〇・三リットル弱）の熱湯を注ぐ。
③ 温めたポットに茶葉を入れ、先程のレモン湯を注ぎ、四分間ほど置く。
④ 時間がたったら、ポットに熱湯を適量注ぎ足し、蓋をして、さらに三分間蒸らす。
⑤ 供するときは、グラスに注ぎ、新しいレモンスライスをグラスにのせて演出する（ホッ

トの場合)。

⑥　夏に冷たくして飲む時は、まずホットと同じに作ったものを完全に冷やしておき、氷を入れたグラスに注ぐ。レモンやオレンジのスライスを浮かべるのはホットと同じ。

というものだ。

前述に従えば一九〇四年にアイスティーが世に出てから、ほんの三〇年ほどの間に、レモンティーをはじめとして、ティーパンチ、ティーアイスクリーム、ティーサイダー、さらにはティーカクテルやハイボールなどアルコールと共に楽しむものまで登場していた。紅茶を冷たくして飲むというところから、どんどん新たな工夫がされ、受け入れられていった様子がうかがえる。

中でも、アイスティーの中にレモンの果汁やレモンスライスを加える方法は、アメリカならではのメニューであり、フロリダやカリフォルニアのレモン農園で栽培されるレモンの消費を促す大きな役割を果たしたものである。

日本でもそうだが、アメリカでは特に、レモンは食べるというよりも、皮からオイルをとるか、果汁をしぼるものである。レモンオイルをケーキやキャンディなどの着香料にしたり、果汁に水とシロップを加えてレモネードとして飲用するのが、主な使用方法だ。

レモンティーの起源として言い伝えられているエピソードとは、レモン農園の人が冷めた茶の中にいたずら心でレモンを放りこみ、しばらくして飲んだら、爽やかな香りが紅茶によく合って、美味しかった、というものだ。

レモン農園というところから、それがアメリカであったことはまちがいないと思われるが、いつ、誰の発明だったかまでは分からない。けれども今に至るまで、冷たいレモンティーはアメリカで最も人気の高い飲み方の一つであろう。


第二次世界大戦後、アメリカの文化を急速に取り入れた日本は、まずこのレモンティーに大きな影響を受けた。

日本には伝統的な緑茶の文化はあったが、紅茶は明治以後に入ってきた舶来文化だった。さらに柑橘類を茶に入れることは何より斬新で、乳文化を持たない日本人には、嗜好としてもミルクティーよりレモンティーの方が合っていたと想像できる。

また同じ柑橘類でも、日本のみかんとは異なり、レモンは見た目も香りも、何より名前もアメリカ的で、新鮮で大変に洒落た感じがした。このため、レモンティーはあっという間に流行し、全国に広まり、現在では流行を超えて定着している。

ただ残念なことに、日本の軟水で紅茶をいれると、アメリカの硬水でいれるよりも紅茶の渋みが強くなり、レモンの皮から出るオイルの苦味と重なって、香りはよくても渋味に閉口するという状態になってしまうことである。

確かにアメリカでレモンティーを飲むと、ティーバッグであれリーフティーであれ、渋味は少なく、爽やかさと切れのよさがある。けれども最近では、ただアメリカに憧れて真似をするだけでなく、日本でも美味しくレモンティーを飲めるような工夫が進み、缶入りやペットボトルなどでも上位の人気を保つようになった。

参考までに、レモンティーを美味しくいれる方法を紹介しておく。

① レモンの輪切りを一枚用意し、果肉のところのみを包丁の先でくり抜き、カップに入れておく。カップの縁を、皮の部分でこすっておくとより香りが出る。

② ティーポットにセイロン茶のライトなもの（キャンディなど）を、ティースプーンで軽く二杯（一人分）入れる。

③ 一センチ四方のオレンジの皮を二枚用意し、軽く絞りながら、茶葉と一緒にポットに入れる。

④ ポットに沸きたての熱湯を三五〇ccほど、勢いよく注ぎ、三〜四分間蒸らす。

⑤ 時間がたったら、カップに注ぐ。

ポットにオレンジの皮を入れたのは、オレンジの方が、皮のオイルの渋味が少ないからだ。

アイスティーの場合はオイルが出にくいので、レモンを皮付きのままグラスにいれても大丈夫である。

★アメリカのアイスティー

アメリカの独立戦争のひきがねとなった、ボストンティーパーティー事件から二百数十年。現代ボストンの紅茶事情はどうなっているのだろう。

ボストンは海に面した街なので、シーフードレストランが多い。ボストン名物のクラムチャウダー、生牡蠣、ボストン刺身などというものまである。そんな一軒で食事をしたとき、隣のテーブルの男性が、何やら茶色い透明なものを飲んでいるのが見えた。ふと彼の前に置かれたボトルに目をやると、「アリゾナティー・ピーチ」と書いてある。

テーブルの上の料理は、魚のフライとボストン・クラムチャウダーだ。ビールでもワインでもなく、アイスティーでシーフードを食べているのだった。

すぐに私もアイスティーを注文したところ、「ピーチ、オレンジ、パイン、バニラ」と矢継早にまくしたてられた。すべてフレーバーの名だ。隣人と同じくピーチをたのんだら、大きなグラスに氷を目一杯入れ、太めのストローをさしたものがドンと置かれ、アリゾナティーのボトルが渡された。

どうしてネーミングがアリゾナなのだろう。西部劇を想像させるアメリカ西部の州と、アイスティーがどう結びつくのかは分からない。

ストローで一気に飲んでみると、着香したピーチが、安っぽい駄菓子のような香りを放っている。薄い烏龍茶を甘く味付けしたようで、紅茶の風味は全くしない。しかし、氷がゆっくり溶けて、アイスティーが薄まってくると、味も香りも水に近くなって、これはこれで飲みやすい。

アメリカではアリゾナティー以外にも、リパブリックオブティーという銘柄のアイスティーが売られていた。こちらの種類は、レモン・ピーチ・オレンジ・ダージリンなどがある。ダージリンを入れるなど、紅茶のブランドを意識していると言えようか。

中でも予想外なのは、セージのフレーバーである。セージはハーブの中でも個性が強く、漢方薬のような感じの香りで、日本人にはなじみが薄い。アメリカ人の友達に聞いてみると、セージは胃腸によく、さまざまな薬効のあるハーブなので、アメリカ人はセージと聞くと、安心感が湧くのだという。おいしさとは関係なく、品揃えの中にこれがあると、他の種類も、健康的で誰が飲んでも安全というイメージになり、売り上げ上昇につながるのだそうだ。トーマス・リプトンが聞いたらにんまりしそうな戦略である。

ホットティーに関しては、ホテルでもレストランでも、飲んでいる人を見かけなかった。唯一、ドライブインの朝食のテーブルに置かれていたのが、リプトンのティーバッグであった。

〈第十章　紅茶輸出国と、紅茶消費国〉

★アフリカ諸国の紅茶

二〇〇三年の世界各国の茶の生産・輸出量を見ると、生産量ではインド、輸出量ではスリランカが第一位である。表を見ると、インド・中国・スリランカが茶の三大産地だが、その他にはアフリカの諸国が目立っているのが分かる。ケニアが生産量で四位、輸出量で二位であるのをはじめ、マラウィ、ウガンダ、ジンバブエなどが健闘している。

これらの国々が茶の生産に着手したのは、十九世紀の末頃からである。いずれも英国の植民地だった所で、英国支配のもとでプランテーションが開かれ、独立後も主要産業として続けられていること、植民地時代の支配形態が現在の政治経済にも問題を残していることなどは、インドやスリランカと似た構図である。

いずれも紅茶のほかに、たばこ、砂糖、綿、コーヒーなどを中心とした農業国で、紅茶の輸出は、二十世紀に各国が独立してからは、大事な輸出産業として急速に伸びた。表に登場した国の様子は次のようになっている。

ケニア共和国

ドイツと英国の植民地争奪戦の結果、一八九五年に内陸部がイギリス領となり、一九〇二年、全土が保護領に、一九二〇年にはイギリス直轄植民地となった。広大な国土の中央高地で、イギリス人によって紅茶・コーヒーのプランテーションが始められている。

一九〇三年、まずケリチョー、ナンディーヒル、ソチックといった丘陵地帯でアッサム種の栽培が開始され、一九二五年にはブルックボンドとジェームス・ファインレイの両社が共同で、大規模生産に着手。設備もよく、この年に一五三ヘクタールの茶園から、約二六〇トンの茶を生産し、七三トンをイギリスに輸

〈2003年の主な茶の生産国・輸出国〉

国＼量	生産量（万トン）	輸出量（万トン）	国内消費量（万トン）
インド	85.71	17.31	68.40
中国	77.00	26.00	51.00
スリランカ	30.33	29.11	1.22
ケニア	29.37	26.93	2.44
インドネシア	16.80	9.00	7.80
トルコ	12.70	／	／
日本	8.70	／	／
バングラデシュ	5.83	1.22	4.61
マラウィ	4.17	4.00	0.17
ウガンダ	3.57	3.41	0.16
タンザニア	2.95	2.28	0.67
ジンバブエ	2.20	／	／
その他	30.37	18.61	／
合計	309.70	137.87	／

表の順番は生産量の多い順なので、輸出国は順不同。トルコ・日本・ジンバブエの輸出量は少ないのでデータにあがっていない。この3国は国内消費が多いということになる。インドと中国は生産量・輸出量・国内消費量とも多いが、アフリカ各国は国内消費量が少なく、輸出の割合が多いことが分かる

出した（『年表　茶の世界史』松崎芳郎）。

一九三三年には茶園は四八〇〇ヘクタールとなり、生産量は一四五七トンに達し、アフリカで一番となった。

ケニアは一九六三年にイギリスから独立し、六四年に英連邦下の共和国となって現在に至っている。現在でも紅茶は主要産業の一つ。

マラウィ共和国

アフリカ南東部にある、マラウィ湖沿いに南北にのびる国で、一八六〇年頃からイギリス人の入植が始まり、一八九一年にイギリスの保護領となった。

一八八五年、スコットランド人のエリモリック博士が、イギリス王立植物園から茶の苗木を持ち込んだことから栽培が始まり、二十世紀に入ってからは、アッサムから苗木を移植して本格的なプランテーションが造成されることになった。

一九六四年にイギリスから独立し、現在は英連邦メンバーの共和国である。

紅茶栽培は引き続き発展し、一九七〇年代には、紅茶の栽培面積は一万五二〇〇ヘクタール、生産量は年間一万八七〇〇トンと急増し、現在では四万トン以上までになったが、国内消費は少なく、そのほとんどを輸出している。

ウガンダ共和国

同じく元イギリスの植民地で、二十世紀のはじめにインド・スリランカから輸入した茶の種子を、エンテベの植物園で育成して栽培を始めたが、一九三三年には茶園の面積は一二八ヘクタールだけであった。

一九六二年に独立し、社会主義の共和国となったが、相次ぐクーデターで国政は乱れた。七一年のアミン少将によるクーデター以後の惨状は世界でも注目されたが、八六年のクーデターでムセベニ大統領になってからは平和を保っている。英連邦の一員。

〈アフリカの主な紅茶生産国〉

内乱の状況下でも紅茶栽培は発展し続け、一九七〇年には茶園一万七五〇〇ヘクタール、生産量は一万八二〇〇トンにのぼった。現在の年間生産量は三万五〇〇〇トンを超えるまでになっている。

タンザニア連合共和国

国土の大半が標高一〇〇〇メートルを超える高原

で、一八八一年にドイツ領となったが、第一次世界大戦後、一九二〇年に英国委任統治領となった。

二十世紀はじめ、ドイツ人が茶の栽培を開始し、その後はイギリス統治下で茶園が発展。

現在のタンザニアはタンガニーカとザンジバルが連合した国で、タンガニーカは一九六一年に、ザンジバルは六三年にイギリスより独立し、六四年に合併した。英連邦の一員で、社会主義政府による混乱を経て複数政党制となったが、二〇〇〇年の大統領選挙でも政治的対立から死者や難民が出ている。

一九六四年に中国との国交が開かれ、社会主義時代には中国茶の技術者が導入され、緑茶の開発も進められた。一九七五年には年間生産量一万三五〇〇トンだったが、現在では約三万トンにのぼっている。

アフリカではこの他にもジンバブエ、モザンビーク、モーリシャス島などで積極的に茶園開発が行われている。

アフリカの紅茶はCTC茶を中心に、現在でも輸出量を増加しつつある。CTCは茎や軸も含めて加工するために（第七章参照）、雑味もあるが、量産ができ、素早く抽出できるので、ティーバッグに最適である。そのためアメリカを中心にして、ティーバッグやアイスティー用に需要が高まり、今後の成長が期待されている。

アフリカの紅茶といっても聞きなれないが、日本でも缶やペットボトルのアイスティー用に、またはティーバッグや業務仕様のブレンド用に、大量に輸入されており、私たちも知らない間にアフリカの紅茶を、実はたくさん飲んでいるのである。

★アイルランドの紅茶

世界の国の中で、一人当たりの年間紅茶消費量が一番多いのはアイルランドだ。年間三・二キロ、二位のイギリスの二・二キロをぐっと超えている。イギリスではここ数年、コーヒー人気におされて紅茶消費量は今や下がる一方だが、アイルランドでは紅茶派が健在しているらしい（だが一人あたりの消費量が多くても、人口が四百万ほどなので、国としての輸入量は他の国に比べると低い）。

ちなみに日本人の一人当たりの年間消費量は一〇〇グラム以下だから、イギリス人にも遠く及ばない。日本人には日本茶や中国茶もあるので、紅茶ばかり飲んでもいられないのだ。

アイルランドの歴史は、古くからイギリス（イングランド）との絶え間のない折衝と戦いの連続である。近代では一八〇〇年に英国に併合されたが、一九二二年に英連邦内の自治領として独立した。このとき北アイルランドは英領にとどまり、それが現在まで続き、紛争は解決をみていない。独立したアイルランドは一九三七年に共和制となり、一九四九年に英連邦を離脱したが、紅茶愛飲の習慣はしっかり根づいたのだ。アジアやアフリカの国々とはまた別の形の、英国紅茶文化の継承と言えるかもしれない。

アイルランドはトーマス・リプトンの両親の出身地だが、一番の紅茶の老舗といえばビューリーズである。スーパーでも雑貨店でも、棚を埋めているのはビューリーズの紅茶だ。ダブリンの中心街にはビューリーズ・カフェがあり、一八四〇年の創業以来、一六〇年以上にわたって紅茶やコーヒーを売ってきた。

ビューリーズの誇る紅茶のブレンドは、アイリッシュ・ブレンドと呼ばれ、アイルランドの水質と風土に合わせた配合になっている。

ただしほとんどがティーバッグになっているので、どのような茶葉のブレンドかは分からない。大きめのマグカップに三〇〇ccほどの熱湯を注ぎ、一、二分して取り出すと、水色はコーヒーのように真っ黒になっている。色は濃いが、さほど渋くはなく、濃厚ではあっても不快なほどの刺激ではない。

色が濃いので、必ずミルクを入れたくなる。室温の牛乳を四〇〜五〇ccほども、たっぷりと入れ、いい色合いになったところですすってみると、ふわっとした香りと、重みのある味が調和して、二口目、三口目と飲みたくなる。

私がアイルランドに行ったときの観察では、この国の人々は、一日に七～八回も、このたっぷりした量のミルクティーを、水がわりに飲んでいるようだった。お茶時にはクッキーやパイ、チョコバーなどが一緒に口にされている。

ある日の昼間、のどが渇いたのだが、お茶を飲めそうな場所が見つからず、丁度あったパブに入って紅茶を頼んだことがある。アイルランドの誇るギネスビールではなかったが、別にためらう様子もなく大きなマグカップにティーバッグを放り込み、熱湯を注いで渡してくれた。

ミルクを入れて一口、二口飲むうちに、何か食べたくなり、「何かないの」と聞いてみると、カウンターの下をちょっとのぞいて、ポテトチップスの袋をポンと投げてくれた。これはビールのつまみ用のもので、チリパウダーがかかった激辛のものだったが、食べては飲み、飲んでは食べ、が止まらなくなるほど、ミルクティーとは相性のよかったことが、忘れられない思い出である。

〈第十一章　イギリス人と紅茶の行方〉

★完璧な紅茶のいれ方――オーウェルと英国王立化学協会

二〇〇三年、英国王立化学協会が六月二十四日付けのニュース・リリースで、科学的に立証した一杯の「完璧な紅茶のいれ方」を発表した。

英国王立化学協会とは、イギリス人だけでなく外国人も含む、科学者、科学教育関係者、化学産業関係者など、四万五〇〇〇人ものメンバーで構成される、世界的な化学研究の団体だ。

十九世紀、イギリスでは化学の急激な進歩を社会に伝えるため、またより研究を発展させるために、いくつもの化学団体ができた。一九八〇年、そうした四つの団体が一つにまとまって、現在の王立化学協会となり、エリザベス女王よりロイヤルの称号を授与されたのである。

英国では伝統的に、こういった学術団体にロイヤルの称号が与えられていて、現在の協会の母体となった会の一つは、一八七七年にすでにロイヤルの称号を得ている。

その権威ある協会が、なぜ紅茶のいれ方などに関して言及したかといえば、イギリスの作家のジョージ・オーウェルの生誕一〇〇年を記念して、ということだそうだ。

ジョージ・オーウェルの人気のある作品の一つに、「一杯のおいしい紅茶」という短いエッセイがある（邦訳『一杯のおいしい紅茶』小野寺健訳　朔北社）。これは一九四六年一月の新聞に掲載された、第二次世界大戦後の窮乏生活を面白く皮肉ったもので、紅茶さえなかなか入手できない日々をかこちつつ（紅茶も配給制で、充分な量がもらえないことが繰り返し書かれている）、理想の紅茶をあれこれ話題にすることで、その辛さを乗り越えようとする、イギリスらしいユーモアにあふれたものだ。

おいしい紅茶をいれるためにはどうしたらよいか、厳密な一一カ条を滔々と論じる、その真剣さが滑稽で、こういった遊び感覚もまたイギリス人気質をよく表しているが、一般的には、「イギリスの紅茶道の権威的決定版」として有名になり、英国の紅茶の紹介には必ず引き合いに出されるようになった。

実はそれよりもほぼ一〇〇年も前、「ファミリー・エコノミスト」という家庭向き雑誌に、おいしい紅茶をいれる心得が、細かく書かれている。角山栄の『茶の世界史』によれば、それは以下のようなものである。

① 紅茶には水が最も大切で、硬水は風味をそこなうので注意すること。
② やかんは蓋がしっかり閉まるもので、水垢がでないこと。

③　ティーポットは銀製が最上で、以下、中国陶磁器、イギリスの金属製、黒色のウェッジウッド、イギリスの陶磁器、の順。
④　ティーポットへの湯の注ぎ方は、三人分の場合、最初に適当な量、それから人数分のカップの量、最後にもう二杯分の量を入れる。これならおかわりにもすぐ応じられる。
⑤　茶の葉はよいものを選ぶこと。紅茶は健康によいと考えられているが、一般には緑茶とのブレンドが好まれている。
⑥　一オンス（約二八グラム）の葉から二クォート（約二・三リットル）の茶をいれるのが適量。
⑦　茶葉は、人数分に必要な量を、一度に入れること。少しずつ足していくと風味を損なう。
⑧　茶をいれるには、まず葉が充分湿る程度の少量の湯をそそぎ、二〜三分してから必要な量を入れること。ただし五分から一〇分以上はおかないこと。
⑨　トレイにポットを置くときは、熱が逃げないように、羊毛のマットを敷いた上に乗せる。
⑩　良質の砂糖とクリームを用いること。まずカップに砂糖とクリームを入れておく。その上から紅茶を注ぐと、より滑らかに混ざり、よい風味が得られる。

これはオーウェルのエッセイと違って、真面目な家事の指南書で、一五〇年も前から、どこの家庭でも、おいしい紅茶をいれるのは大切な主婦のつとめだったことがうかがえる。ここで注目されるのは、⑩のクリーム（ミルク）の入れ方である。紅茶より先に入れること（ミルク　イン　ファースト、MIF）を薦めている。

だがその一〇〇年後、くだんのジョージ・オーウェルは、「紅茶を先にカップに入れ、後からミルクを入れる」（ミルク　イン　アフター、MIA）を主張した。

オーウェルの一一カ条は次の通り。

① 紅茶の葉はインドかセイロンのものを使うこと。
② 陶磁器のポットでいれること。
③ ポットはあらかじめ温めておく。
④ 熱湯一リットルにつき、茶葉はティースプーンに山盛り六杯。
⑤ 茶葉は直接ティーポットに入れる（ティーバッグのような袋に入れない）。
⑥ 水は沸騰したてのものをすぐに注ぐため、ポットをやかんの所までもっていく。
⑦ ポットで蒸らしたら、よく揺すってから葉が底に落ち着くまで待つか、かきまぜる。
⑧ カップは円筒形のマグ状のものが冷めにくい。
⑨ 紅茶に入れるミルクから、乳脂分をとりのぞいておく。
⑩ 紅茶を先にカップに注ぎ、後からミルクを入れること。

⑪　砂糖を入れると味を損なう。

ただしオーウェルは、これをあくまで「わたし自身の処方」とし、「そのうちの二点には、大方の賛同を得られるだろうが、すくなくとも四点は激論の種になることだろう」といっている。紅茶の入れ方を議論するのが、階級社会のイギリスには珍しく、万人共通の楽しみの一つだった様子がうかがえる。

ミルクの入れ方についても、「イギリスの家庭はどこでも、この点をめぐって二派にわかれると言ってもいい」として、オーウェル自身は、ミルクを紅茶の後から入れていけばミルクの量が調節できるので、ミルクを後にする、と書いている。

こうなると、紅茶へのこだわりに関しては伝統あるイギリスの茶商も黙ってはいない。トワイニング社は紅茶のいれ方を九カ条にまとめ、その競争相手のジャクソン・オブ・ピカデリー社も九カ条を打ち出した。それぞれ茶葉の量、沸騰した湯を使うこと、蒸らす時間などをあげているが、基本的には大きな違いはない。問題になるのはやはりＭＩＦかＭＩＡか、ということで、トワイニング社は、ミルクを先に入れよ、としている。

これについてはさまざまな意見がとびかい、イギリス人は実に一五〇〇年以上もこの論争を続けてきた。そして今回、王立化学協会がまとめた「一杯の完璧な紅茶のいれ方」では、「ミルクが先」という結論が出されたのである。

これを検証したラフバラ大学のアンドリュー・スティープリー博士は「紅茶を先に入れ、後からミルクを入れると、ミルクに含まれる蛋白質が、高温の茶によって変化し、風味が悪くなる」と説明している。

熱い紅茶の中にミルクを入れると、はじめの方に入れたミルクは急激に熱くなって「沸騰した牛乳くささ」が出てしまう。けれどもミルクの中に少しずつ紅茶を入れれば、ミルクの温度も少しずつしか上がらず、最終的にはミルクによって少しぬるくなった温度までしか上がらないので、蛋白質の熱変性も起こらない、というわけだ。

ミルクを入れない中国の茶を飲んでいたイギリス人が、やがて紅茶を好むようになり、そこにミルクを入れるようになった。ミルクティーこそは、イギリス人がオリジナルに発明した紅茶の飲み方で、彼らの誇りでもあるだけに、一五〇〇年間もかけた論争と、世界に冠たる学会をわずらわすにふさわしいテーマだった、というところだろうか。オーウェルが、「何しろ紅茶といえば、アイルランド、オーストラリア、ニュージーランドまでふくめて、この国の文明をささえる大黒柱の一つであるばかりか、その正しいいれかたは大議論の種」と書いた通りである。

★英国王立化学協会の一〇カ条

「一杯の完璧な紅茶のいれ方」として英国王立化学協会が発表したのは次のようなものである。

まず材料は、

・アッサム紅茶のルーズリーフタイプ（第七章で紹介したOPなどの、損傷が少なく、雑物が入らず、茶をいれるとポットの中で、もとの葉の形になるもの）

・軟水

・新鮮な低温殺菌牛乳

・白砂糖

器具は、薬缶・陶磁器のポット・陶磁器の大きめのマグカップ・細かい目のストレーナー・ティースプーン・電子レンジ。

いれ方一〇カ条は、

① やかんに新鮮な軟水を注ぎ、火にかける。時間、水、火力などを無駄にしないよう適量を沸かすこと。

② 湯が沸くのを待つ間、四分の一カップの水を入れた陶磁器のポットを電子レンジに入れ、一分間加熱し、ポットを温めておく。

③ やかんの湯が沸くと同時に、加熱したポットから湯を捨てる。

④　カップ一杯あたりティースプーン一杯の茶葉をポットに入れる。
⑤　沸騰しているやかんまでポットを持っていき、茶葉めがけて勢いよく注ぐ。
⑥　三分間蒸らす。
⑦　理想的なカップは陶磁器のマグカップだが、あなたの好みのものでよい。
⑧　カップにまず先にミルクを注ぎ、続けて紅茶を注ぎ、おいしそうな色合いになるのを目指す。
⑨　砂糖は好みで入れる。
⑩　紅茶の飲みごろの温度は六〇～六五度で、これ以上熱いと飲みにくく、下品なすする音をたてることになる。

特別に新しいことはないように見えるが、ここには、先ほどのスティープリー博士による細かい科学的検証が一つ一ついているのである。

Ⓐ　一度沸かした水ではなく、新鮮な汲みたての水を使うこと。一度沸かした水は酸素を含んでいないので、紅茶の味を引き出すことができない。

Ⓑ　硬水は避けること。硬水に含まれるミネラルが、表面に不快な膜を作る。もしひどい硬水地区に住んでいるときは、軟水処理のできるフィルターを通して使うこと。市販のミネラ

ルウォーターも同じ理由で使用しない。

Ⓒ　完璧にいれるためにティーポットを使用し、リーフタイプの紅茶を使う。ティーポットは陶磁器製がよい。金属製は紅茶の風味を損ないやすい。ティーバッグは手軽であるが、抽出を遅らせてしまう。おいしい紅茶に必要なタンニンが出るのには時間がかかるので、香りを発揮することができない。

Ⓓ　茶葉を大量に使う必要はない。カップ一杯あたり二グラム（ティースプーン一杯）を基準にするのが適量である。

Ⓔ　紅茶の抽出はできるだけ高温でおこなわれる必要があり、そのためにポットを温めておくことが大切である。沸騰した湯を少なくともポットの四分の一ほど注ぎ、三〇秒以上置かねばならない。それから素早くポットの湯を捨て、すぐに茶葉を入れ、沸騰したての湯を勢いよくそそぐ。

Ⓕ　もっと効率よい案としては、電子レンジでポットを温めておくこと。ポットの湯を捨てて茶葉と湯を入れる時、すぐに次の動作をすることが大切である。ポットをやかんのそばに持ってきておけば、時間差が起こることはない。

Ⓖ　茶葉にもよるが、通常は三分から四分蒸らす。長く蒸らせばいいというのは神話である。カフェインは比較的早期に抽出されるので、初めの一分ほどでおおむね完了する。しかし、

紅茶にとって最も重要な水色と香りを与えるポリフェノール複合体（＝タンニン）は、それより遅れて抽出されるので、もう少し待たねばならない。ただし、三分以上経つと、分子量の大きなタンニンが出てきて、風味を悪くすることがある。

Ⓗ　好みのティーカップとはいっても、ポリスチレン製のものは使用しないこと。これに入れると紅茶の温度が下がらず、いつまでたっても熱くて飲めない。そして高温のため、ミルクもだめにする。

Ⓘ　超高温殺菌牛乳（一二〇～一三〇度で二秒間）ではなく、低温殺菌牛乳（六三～六五度で三〇分殺菌、または七三度で一五秒間）を使う。超高温殺菌牛乳では、すでに一部の蛋白質が熱変性してしまっているからである。

牛乳は紅茶の前にカップに入れるべきである。なぜなら、牛乳の蛋白質は七五度になると変化が生じることが確認されているからである。

もし牛乳を熱い紅茶に注ぐと、少量ずつの牛乳が熱い紅茶の中に入ることになり、その高温によって確実に蛋白質の熱変性が起こることになる。反対に、冷たい牛乳に熱い茶が除々に注がれれば、牛乳の温度はゆっくり上昇するため、変性ははるかに起こりにくくなる。牛乳と紅茶が一度混ざってしまえば、ポリスチレンのカップでないかぎり、紅茶の温度は七五度を下回るはずである。

Ⓙ 牛乳も砂糖も、好みによって入れても入れなくてもよい。しかし、両者とも紅茶の渋味をやわらげてくれる。

Ⓚ 紅茶を飲むのに最も適温なのは六〇〜六五度で、もしこの検証通りにいれた紅茶なら、いれてから一分以内に得られる温度である。ティースプーンをしばらくカップに入れておくのも、適温にまで下げるのに有効である。

オーウェルの説は、このミルクの蛋白質の検証により、覆されてしまった。

熱によって変質した蛋白質は固くなり、滑らかさを失うだけでなく、硫化水素のイオウ臭が発生し、好まれない匂いになってしまう。紅茶の香りを分析すると、森林や草いきれ、バラ、スミレ、スズランの香りの成分が含まれているというが、これと、熱変性した蛋白質の匂いはまず合わない。それでこのイオウ臭を防ぐため、ミルクを先に入れるだけでなく、そのミルクが低温殺菌のものでなければならない、というのだ。

さらにもう一つ、イギリス人がこだわる牛乳の質に「ノンホモジナイズド」というのがある。日本では、牛乳に含まれる脂肪の球を細かくして、脂肪分を均等にする処置がされているが、イギリスではそれをせず、脂肪分が不均質のままの牛乳が喜ばれている。

この牛乳は、常温で放置しておくと、脂肪球と乳蛋白（カゼインミセル）が上の方に浮かび、クリームの層ができる。この部分は乳脂肪分が一八〜二〇パーセントにもなり、クリームラインと呼ばれる。脂肪分が均質化された牛乳より、上のクリームラインと下のミルクを分離した状態で入れた方が、クリームの風味がよい上に、べた付きがなく、後口がさっぱりした感じになるのだ。オーウェルが彼の一一カ条で「ミルクから乳脂分をとりのぞく」といったのは、このクリームラインさえもよけて、ごくあっさりした風味を好んだということと思われる。

紅茶と一緒にイギリス人が好んで食べるものに、スコーンがある。スコーンに、乳脂肪分四〇〜五〇パーセントのクロテッド・クリームとジャムを乗せて食べ、ミルクティーを飲む、という組み合わせは「クリーム・ティー」と呼ばれて、アフタヌーン・ティーでも定番のセットである。クロテッド・クリームの濃厚な脂肪を、ノンホモジナイズドのすっきりしたミルクティーで洗い流すと、また二口目が新鮮においしく食べられる、というわけだ。

このミルクティーなら、他にも、チーズにしろ、フィッシュアンドチップスにしろ、どのようなものに合わせてもよい。後口がさっぱりとして、水を飲んだようにストレスを残さない。イギリス人にとって、ミルクティーとはそういう飲み物なのである。

王立化学協会の発表は、多くのメディアに取り上げられて話題になった。昔から「ミルクが先」と提言してきたトワイニング社の一〇代目、スティーブン・トワイニング氏にコメントをうかがったところ、ミルクが先なのはもちろんのこと、ミルクは低温殺菌であるべきことを強調し、「今回の協会の発表が、イギリス国内の紅茶ブームを上昇させるきっかけになることを願っています」とのことだった。

★現代イギリスの紅茶事情

十七世紀に初めて茶を知り、以来世界中を征服しながら紅茶を求め続けてきたイギリス。そのイギリスでも、近年は事情が変化してきた。国内消費用の紅茶輸入量は、一九八〇年代ころから徐々に下がり始めている。

一九八二年には一八万トン以上だった輸入量は、二〇〇〇年には約一三万トンにまで下がった。アメリカのコーヒー会社によるカフェが、ロンドンをはじめイギリスの各地に出店し、コーヒー愛飲家が増えて、紅茶派は下火になりつつある。

かつてイギリスは、東インド会社を軸としてアジアに侵出し、戦争になるまで茶を輸入し、あるいは植民地で紅茶を栽培してきた。紅茶の消費量の低下は、「世界に冠たる大英帝国」凋落のイメージと重なり、一抹の寂しさを感じさせるのだろうか。

「イギリス人なら紅茶を飲むべきだ」というのは、茶商の宣伝だけでなく、かつての繁栄を偲び、イギリス国民の勇気を鼓舞する意味を含んだ言葉なのである。女王陛下に認められた、権威ある王立化学協会の研究発表には、そうした背景もあるのだろう。

この発表には、ミルクのほかにもう一つ注目に値する項目がある。それは使用する茶葉を「アッサムのルーズリーフ」としたことだ。

アッサムの紅茶。

かつては中国の茶にあこがれ、ラプサンスーチョンやアールグレイといった「発明品」まで作ったイギリス人。インドで栽培するのにも、あくまで中国種の苗を育てようと無理をし続け、ついにアッサム種はなかなか認めなかったイギリス人が、「ミルクティーに最適な茶葉」として、ついにアッサムを選んだのだ。ミルクティーとは、まさに「イギリスの紅茶」を象徴する飲み方ではないか。

アッサム紅茶は、一八二五年にチャールズ・アレキサンダー・ブルースがアッサム種の茶の苗を入手して以来、さまざまな紆余曲折を経て、まさに「イギリス人が作った」ものである。中国四千年の神秘には遠くとも、一八三九年にアッサムカンパニーが設立されてからほぼ一六〇年が経ち、イギリス人はようやく「最高の茶」として、公式に認めることにしたのだ。

上流階級の高貴な趣味、中国への憧れを伝統とする、文化としての茶は、あくまでも「中国第一」である。けれども庶民にとっては、安くて美味しいアッサム茶やセイロン茶こそが、生活必需品だった。オーウェルも「一杯のおいしい紅茶」で、茶葉にはインドかセイロン茶がいいと述べ、中国産は刺激にとぼしく「飲んだからといって、頭がよくなったとか、元気が出た、人生が明るくなったといった気分にはならない」といっている。つまり、ブランド・権威としては中国茶、本音はアッサム茶という構造だったのだ。

また、アッサムは、世界三大銘柄とも無縁だ。三大銘柄とは中国の祁門紅茶、インドのダージリン、スリランカのウバだが、アッサムはここでも度外視されてきた。

二〇〇三年になって、王立化学協会がアッサムの茶葉を最高と認めたのは、このように画期的な事件なのである。

ただ皮肉なことに、第七章で述べたようにアッサム紅茶の主流はCTC紅茶である。「茎や軸も含んだ大量生産の茶で、短時間で色も味も濃く出る、値段の安い庶民の味方」だ。アッサムの生産量の九二パーセント以上が、CTC紅茶だ。

けれども王立化学協会が認めたのはルーズリーフ、つまりOPタイプの方だ。「純粋に葉だけを使い、あまり破壊せずに揉んで発酵させるため、生産量は少ないが、繊細な味と香りが楽しめる」高級品で、この茶の楽しみ方は、より古くからある、伝統的中国茶に近いものだ。

CTCの機械ができてから、まだ六〇年しか経っていない。歴史は浅いが、安くて庶民的なCTC紅茶こそは、庶民の味方であるはずだが、アッサムを認めた王立協会も、さすがにここまでは認められなかったということであろうか。

ブランドと本音の二重構造を抱えつつ、それゆえに幅広いバリエーションを生み出し、王侯

第十一章　イギリス人と紅茶の行方

貴族のサロンから、工場労働者の休息時間まで、すべてのイギリス人に愛され、大英帝国の発展を支えてきた紅茶。消費量が下がりつつある二十一世紀、これからイギリスの紅茶がどうなるか、目がはなせない。

〈参考文献〉

相松義男『紅茶と日本茶』（恒文社）
浅田實『東インド会社』（講談社現代新書）
ASIA GEO『中国地理紀行』vol. 13（日本スーパーマップ）
荒木安正、松田昌夫『紅茶の事典』（柴田書店）
臼田昭『ピープス氏の秘められた日記』（岩波新書）
川口国昭、多田節子『茶業開化』（全貌社）
財団法人　静岡総合研究機構編著『お茶からアジアを考える』（静岡新聞社）
ジョン・コークレイ・レットサム著・滝口明子訳『茶の博物誌』（講談社学術文庫）
陳舜臣『茶の話』（朝日文庫）
角山栄『茶の世界史』（中公新書）
デレック・メイトランド著・井ケ田文一訳『絵で見るお茶の５０００年』（金花舎）
日本紅茶協会編『20世紀の日本紅茶産業史』
橋本実『茶の起源を探る』（淡交社）

春山行夫『春山行夫の博物誌7　紅茶の文化史』（平凡社）
樋口英夫『雲南・北ラオスの旅』（めこん）
福山陽子『雲南の旅いろいろ事始め』（凱風社）
ブライアン・ガードナー著・浜本正夫訳『イギリス東インド会社』（リブロポート）
松崎芳郎『年表　茶の世界史』（八坂書房）
松下智『アッサム紅茶文化史』（雄山閣出版）
松下智『茶の民族誌』（雄山閣出版）
松下智『茶の原産地紀行』（淡交社）
矢沢利彦『東西お茶交流考』（東方書店）
山下恒夫『大黒屋光太夫』（岩波新書）
山田新市『日本喫茶世界の成立』（ラ・テール出版局）

Antrobus, H. A. *History of the Assam Company 1839-1953*. Edinburgh: T. & A. Constable, Ltd.
Hanley, Maurice P. *Tales and Songs from an Assam Tea Garden*. Calcutta and Simla: Thacker Spink & Co.

Lipton, Sir Thomas J. *Leaves from the Lipton Logs*. London: Bt. Hutchinson & Co. Ltd.

Ukers, W. H. *All about Tea. Vol. I & II*, New York: The Tea and Coffee Trade Journal Co.

Twining, Stephen H. M.B.E. *The House of Twining 1706–1956*. London: R. Twining & Co. Ltd.

〈紅茶年表〉

〈紅茶前史〉

八世紀　陸羽が『茶経』で「茶は南方の嘉木なり」と記す
一一世紀　雲南省の茶をチベットに運ぶ「茶馬古道」が作られる
一二世紀　雲南省の茶樹王、このころに生える。少数民族と共に茶の文化が東西へ広まる
一三世紀　雲南省をルーツとする少数民族、アッサム地方に侵出し、茶を伝える
一五世紀　福建省で発酵茶が飲まれ始める

〈一六世紀——茶がヨーロッパ人に知られる〉

一六世紀　ポルトガル人宣教師、中国の茶のことを「ややにがい、赤いクスリ」と記す
一五四三　ポルトガル人、種子島に漂着し、鉄砲を伝える
一五五八　イギリスでエリザベス一世が即位
一五五九　ベネチア人ラムージオ、ペルシャ人から聞いた中国での喫茶の習慣を記す
一五六二　ポルトガル人宣教師ルイス・フロイス、日本に到着し、茶を知る

一五八八　フィレンツェ人マッフェイ、インドへ行った宣教師から中国の茶の話を聞き記す

〈一七世紀——ヨーロッパで茶が飲まれだす〉

一六〇〇　イギリス東インド会社創立
一六〇〇～　福建省一帯で発酵茶が生産される。桐木村でも発酵茶（正山小種）が作られる
一六一〇　オランダ人、マカオと平戸で緑茶を買い、ジャワのバンタム経由でハーグに送る
一六一〇～　オランダで茶を飲むことが流行する
一六三九　日本、ポルトガル人の来航を禁じ、鎖国体制になる
一六四一　オランダ人医師ディルクス、茶は万能薬として効能を述べる
一六四四　明が滅び、清朝の時代が始まる
　　　　イギリス商人、アモイに商館を開く
一六五〇～　オランダ人、ヨーロッパ諸国に、中国からジャワ経由で輸入した茶を売る
一六五三　フランス人神父デ・ロード、茶が胃痛病に効くと記す
一六五七　ロンドンのコーヒーハウス「ギャラウェイ」で、イギリスで初めて茶が売られる
　　　　フランスでは茶の有害論と賛美論が拮抗する
一六六〇　イギリスで茶が課税対象になる
　　　　イギリスの海軍士官ピープス、初めて茶を飲んだことを記す

〈紅茶年表〉

一六六二　チャールズ二世にポルトガル王女キャサリン・ブラガンザが嫁ぐ。持参金は、一塊の茶と、七隻の船に積んだ砂糖。宮廷で喫茶がブームになる
一六六六　マカオにイギリス東インド会社の商館が設置される
一六六九　イギリスはオランダから茶を買うことを禁止する。代わりにジャワの中国船やポルトガルから買うか、直接中国から買うようになる
一六七五　トーマス・トワイニング、イギリスのグローセスターに生まれる
一六八八　イギリス名誉革命
一六八九　アモイのイギリス商人が、ボーヒーという発酵茶を中国で直接買う
一六九〇　アメリカのボストンで、ベンジャミン・ハリスが喫茶店をひらき、繁盛する
オランダ人、ジャワに茶園を開く

〈一八世紀――イギリスで紅茶がブレイクする〉

一七〇〇〜　イギリスが輸入するのは、ボーヒー（ボヘア）という紅茶が主流になる（外山の紅茶）。茶は高価で、上流階級で流行した
一八世紀から一九世紀にかけて、中国で烏龍茶や紅茶がイギリスへの輸出用に量産される
一七二五〜　『安渓県志』に「烏龍茶」の文字が初めて使われる

一七三〇　スコットランド人医師ショート、茶の有害論を唱える
一七四四　アイルランドの司教バークレイ、茶を賛美するが、イギリス人のフォーブス卿は有害論で反論する
一七五七　清の乾隆帝、外国との貿易を広東だけに限定するが、イギリスでの茶の需要は増加一途となる
一七七〇〜　イギリス、産業革命期に入る
一七七二　イギリス人医師レットサム、茶の効用を科学的に研究する
一七七三　ボストンティーパーティー事件
イギリス東インド会社がアヘンの専売特許を得る
一七七五　アメリカ独立戦争始まる。翌年には独立宣言
一七八四　トワイニングの三代目、リチャード・トワイニングが、政府に茶税の引き下げを申し入れ、首相ウィリアム・ピットは受け入れる。これにより、密輸紅茶が激減する
一七八九　フランス革命

〈一九世紀――紅茶が大量生産され、英国人の日常必需品となる〉
一八〇四　ナポレオン、皇帝に即位

〈紅茶年表〉

一八〇六　海軍大臣だったグレイ伯爵、中国に行った使節団より正山小種を贈られ、茶商に同じものを注文するが、手に入らないので、茶商はアールグレイ紅茶を開発する

一八二五　スコットランド出身のイギリス軍人チャールズ・ブルース、アッサム地方でジュンポー族から茶の苗木と種を入手。これが中国の茶と同じかどうかで論争が起きる

一八三三　イギリスで貿易が自由化され、東インド会社の独占終わる

一八三四　インド総督ベンティンク卿、茶業委員会を設立し、インドでの茶栽培を試みる

一八三七　ヴィクトリア女王が即位

トワイニング、王室御用達になる

チャールズ・ブルース、イギリス人としてアッサムで初の茶（緑茶）を作るのに成功。翌年には紅茶も作り、ロンドンで高値で売れる

一八三九　カルカッタとロンドンで茶の事業会社が設立される（ロンドンはアッサムカンパニー）

一八四〇　アヘン戦争。二年後に南京条約締結。清の五つの港が外国に開かれる

アイルランドのダブリンで、ビューリーズが創業。紅茶やコーヒーを販売し始める

一八四一　ティークリッパーが作られ始め、ティーレースが人気を呼ぶ

一八四三　アッサムカンパニー倒産の危機。一八五〇年代以降、もちなおす
　　　　リヴィングストンのアフリカ探検始まる
一八四八　イギリスの「ファミリー・エコノミスト」誌に「紅茶のよいいれ方」が掲載される
一八五三　**浦賀にペリー来航**
一八五八　**インドのムガール帝国滅亡。イギリスはインドを併合**
一八六六　セイロンのコーヒー園が伝染病で壊滅したので、アッサムから茶の苗木をとりよせ、茶園にきりかえることにする
一八六八　**明治維新**
一八六九　スエズ運河開通。ティークリッパーの時代終わる
一八八〇〜　セイロンで紅茶の生産が軌道に乗る
一八九〇　トーマス・リプトン、セイロンの広大な茶園を買い、大規模な紅茶生産を始める

〈二〇世紀——アメリカでティーバッグとアイスティーが誕生〉

一九〇〇〜　一九〇〇年頃、中国の紅茶生産の最盛期。おもにイギリスに輸出
一九〇三　イギリス植民下のケニアで、ブルックボンドとファインレイがアッサム種の茶の栽培を大規模に始める。同じ頃、他のアフリカ諸国でも紅茶の生産が始まる

一九〇四　アメリカのセントルイスで開かれた万博で、イギリスから紅茶を売りに来ていたブレチンデンが、暑い日に紅茶を宣伝するため、アイスティーを考案
一九一一　辛亥革命。中国の国内混乱で、輸出用茶の生産も打撃を受ける
一九一四　第一次世界大戦
一九一九　オランダ人コーヘン・スチュアート、茶の二元説を唱える
一九二〇〜　アメリカでティーバッグが出回り、急速に普及する
一九三〇〜　アッサムでCTC製茶機械が考案され、大量生産が可能となる
一九三九〜　第二次世界大戦（一九四五年終戦）
一九四六　イギリスの「イヴニング・スタンダード」紙にオーウェルの「一杯のおいしい紅茶」が掲載される
一九四七　インド連邦・パキスタン独立
一九四九　中華人民共和国成立
一九六五　雲南省西双版納の南糯山で樹齢八〇〇年の茶樹王が発見される
二〇〇三　英国王立化学協会が、「一杯の完璧な紅茶のいれ方」を発表し、茶葉はアッサムがよいとする

磯淵　猛（いそぶち　たけし）

1951年愛媛県生まれ。青山学院大学卒業後、商社勤務を経て、1979年紅茶専門店ディンブラを開業。紅茶の輸入、レシピの開発、技術指導、経営アドバイス、紅茶研究の分野で新聞やテレビなどでも活躍。主著に『紅茶事典』（新星出版社）、『紅茶のある食卓』（集英社文庫）、『二人の紅茶王 リプトンとトワイニングと…』（筑摩書房）など。

文春新書

456

一杯《いっぱい》の紅茶《こうちゃ》の世界史《せかいし》

2005年8月20日　第1刷発行
2020年12月5日　第6刷発行

著　者　磯淵　猛
発行者　大松芳男
発行所　株式会社 文藝春秋

〒102-8008　東京都千代田区紀尾井町3-23
電話（03）3265-1211（代表）

印刷所　理想社
付物印刷　大日本印刷
製本所　大口製本

定価はカバーに表示してあります。
万一、落丁・乱丁の場合は小社製作部宛お送り下さい。
送料小社負担でお取替え致します。

ISBN4-16-660456-2

文春新書のロングセラー

樹木希林
一切なりゆき
樹木希林のことば

二〇一八年、惜しくも世を去った名女優が語り尽くした生と死、家族、女と男……。ユーモアと洞察に満ちた希林流生き方のエッセンス

1194

中野信子
サイコパス

クールに犯罪を遂行し、しかも罪悪感はゼロ。そんな「あの人」の脳には隠された秘密があった。最新の脳科学が説き明かす禁断の事実

1094

橘　玲
女と男　なぜわかりあえないのか

単純な男性脳では、複雑すぎる女性脳は理解できない！「週刊文春」の人気連載「臆病者のための楽しい人生100年計画」を新書化

1265

ジャレド・ダイアモンド　ポール・クルーグマン　リンダ・グラットンほか
コロナ後の世界

新型コロナウイルスは、人類の未来をどう変えるのか？　世界が誇る知識人六名に緊急インタビュー。二〇二〇年代の羅針盤を提示する

1271

立花　隆
知の旅は終わらない
僕が3万冊を読み100冊を書いて考えてきたこと

立花隆は巨大な山だ。政治、科学、歴史、音楽……、万夫不当の仕事の山と、その人生を初めて語った。氏を衝き動かしたものは何なのか

1247